BLED

Les 50 règles d'or
de
la GRAMMAIRE

Daniel Berlion
Inspecteur d'académie

hachette

Sommaire

www.hachette-education.com

ISBN 978-2-01-160089-9

© HACHETTE LIVRE, 2010, 43 quai de Grenelle, 75905 Paris Cedex 15.

Quelques conseils

Ce livre a été conçu pour vous permettre d'acquérir les 50 règles fondamentales de la grammaire qui, lorsqu'elles sont bien maîtrisées, donnent accès à la compréhension des textes et des messages oraux. La connaissance des règles grammaticales vous permettra également de vous exprimer correctement, tant à l'oral qu'à l'écrit.

Cet ouvrage vise ainsi **l'amélioration rapide et durable de votre niveau en grammaire** pour vous permettre de **comprendre la structure de la langue**.

Les 50 règles d'or de la grammaire vous proposent :

☞ **Une définition simple** des 50 règles incontournables de la grammaire. Autant que faire se peut, nous avons évité, dans l'énoncé des règles, les termes abscons qui déroutent ceux qui ne sont pas familiers des formulations trop spécialisées.

☞ **De nombreux exemples** d'application.

☞ **Un entraînement progressif.** Chapitre après chapitre, exercice après exercice, vous serez guidé(e) vers une amélioration méthodique de vos compétences grammaticales. Pour encore plus d'efficacité, nous vous conseillons de faire les exercices de cet ouvrage en **recopiant l'intégralité des phrases**, même si l'énoncé ne le demande pas. Cette manière de procéder permet de retenir des centaines de mots, de tournures, d'accords, qui peu à peu s'inscriront dans votre mémoire.

☞ **Tous les corrigés des exercices** (pp. 106 à 147) dans lesquels nous avons placé des conseils et des explications qui viennent compléter l'étude des différentes notions. N'hésitez pas à les consulter aussi souvent que nécessaire.

☞ **Les tableaux synthétiques** des principales classes et fonctions des mots pour un repérage rapide. Des renvois aux règles facilitent l'approfondissement des notions.

La nature et la fonction des mots

Les mots n'existent isolément que dans les dictionnaires. Dans l'expression orale ou écrite, ils établissent entre eux des liens qu'on appelle des **fonctions** ; celles-ci déterminent le plus souvent des **accords**.

Le problème est que ces accords se font différemment selon la **nature** des mots. Il est même des mots pour demeurer invariables.

Il faut donc retrouver rapidement la nature et la fonction des principaux mots pour appliquer correctement les accords. C'est un des objectifs du présent ouvrage.

☞ **Le verbe** est l'élément central de la phrase. Il peut se présenter sous deux aspects : l'infinitif ou une forme conjuguée. Dans ce dernier cas, il faut résoudre trois problèmes pour placer la terminaison correcte : identifier le groupe (1er, 2e ou 3e), trouver le mode et le temps, ainsi que le sujet.
Nous insistons, à plusieurs reprises, sur l'emploi correct des modes et des temps – source fréquente d'incorrections.

☞ **Le nom** est souvent accompagné d'un déterminant qui en marque le genre et le nombre. Les accords du nom obéissent à des règles différentes de celles des verbes.

☞ **Les adjectifs** peuvent aussi accompagner le nom ; ils s'accordent en genre et en nombre avec lui.

☞ Dans une phrase, il y a d'autres mots. Certains sont invariables (les prépositions, les conjonctions, les adverbes) et d'autres variables (les pronoms).

Au fil des séquences, vous apprendrez à identifier les différents mots d'une phrase et à retenir les règles d'accord, ou de non-accord, applicables pour chacun d'eux.

Vous pourrez, à tout moment, consulter l'**index** situé en fin d'ouvrage pour retrouver la règle qui vous aidera à résoudre le problème de grammaire particulier qui se présente à vous.

L'expression personnelle

Les connaissances grammaticales resteront livresques et théoriques si elles ne s'inscrivent pas dans un usage régulier et spontané. C'est pourquoi cet ouvrage vous permettra de découvrir différentes tournures pour exprimer votre pensée et vos intentions selon les circonstances. Comprendre et maîtriser toutes les nuances et subtilités d'une langue, c'est pouvoir exercer librement et sereinement son rôle de citoyen.

> ▶ La **phrase déclarative** fournit une information. Elle se termine par un point. L'intonation est descendante.
> ▶ La **phrase interrogative** pose une question. Elle se termine par un point d'interrogation. L'intonation est montante.
> ▶ La **phrase exclamative** permet d'exprimer des sentiments : joie, étonnement, admiration. Elle se termine par un point d'exclamation.
> ▶ La **phrase impérative** exprime un ordre, une interdiction, un conseil. Elle se termine par un point.

Exemples

👉 Bertrand lit tous les soirs pendant une heure.	**type déclaratif**
👉 Lit-il tous les soirs ?	**type interrogatif**
👉 Comme ce livre est passionnant !	**type exclamatif**
👉 Vous devez lire davantage.	**type impératif**

▶ La phrase interrogative peut commencer par **un mot interrogatif** ou l'expression **Est-ce que...** .

Que lis-tu en ce moment ?
Est-ce que tu aimes lire ?

▶ La phrase **impérative** peut se terminer par un **point d'exclamation** si l'injonction est forte.

Lisez ce livre !
Faites un effort !

Et pour en savoir plus...

En langage familier, il n'y a pas de construction particulière pour exprimer **l'interrogation** ; seule **la ponctuation** et **l'intonation montante** distinguent la phrase interrogative de la phrase déclarative.

Tu as lu ce livre ?   Vous lisez des romans policiers ?

Les **phrases non verbales** sont construites sans verbe.

Fin du film à vingt-deux heures.   Quelle histoire passionnante !

1 ▶ **Copiez ces phrases et indiquez entre parenthèses à quel type elles appartiennent.**

Manger une tartine de beurre frais, quel régal !

Les tortues de mer viennent pondre sur le sable.

Des milliers de motards se sont donné rendez-vous à Montlhéry !

Ce tiroir est plein de vieilles breloques sans aucune valeur.

Avez-vous été averti de la suppression du vol pour Barcelone ?

Mohamed se dirige à tâtons dans les ténèbres.

Le spectacle fut de toute beauté ; quel triomphe pour le chanteur !

Le vent efface les traces de pas ; comment retrouver le chemin ?

2 ▶ **Transformez ces phrases déclaratives en phrases interrogatives. Vous utiliserez la construction de votre choix.**

Les caisses du supermarché sont équipées de lecteurs d'étiquettes.

Les trompettistes doivent posséder un souffle exceptionnel.

La surface du terrain de rugby est égale à celle d'un terrain de football.

Le maître nageur surveille le bassin de natation.

La soirée se déroule dans une ambiance de fête.

Vous vous êtes trompés en remplissant la grille de mots croisés.

3 ▶ **Transformez ces phrases déclaratives en phrases exclamatives. Vous pourrez utiliser des déterminants exclamatifs.**

Les vitrines des magasins sont décorées pour Noël.

Cette sonnette émet un bruit fort désagréable.

Le résultat de cette partie est inattendu.

Avec cette lessive, le linge est d'un blanc immaculé.

Les plantes tropicales poussent à une vitesse fantastique.

Ces sièges offrent un confort de qualité.

4 ▶ **Transformez ces phrases déclaratives en phrases impératives. Vous utiliserez la construction de votre choix.**

Tu cherches ton agenda dans tous les tiroirs.

Vous remettez les lettres dans l'ordre pour composer un mot.

Nous vérifions la pression des pneus avant de partir.

Tu te gardes de marcher dans les orties avec les jambes nues.

Vous vous accordez une petite pause avant de continuer le travail.

Tu ne t'avoues pas vaincue face à la difficulté.

RÉPONSES P. 106 ▷

2 Les formes affirmative, négative et pronominale

> ▶ La **forme négative** s'oppose à la **forme affirmative**. La négation porte toujours sur le verbe, encadré par les éléments de la locution négative.
>
> Il existe plusieurs locutions négatives :
>
> *ne ... pas ; ne ... plus ; ne ... jamais ; ne ... rien ; ne ... personne ; ne ... aucun ; ne ... point ; ne ... nullement ; ne ... guère ; ne ... que ; ne ... ni ... ni.*
>
> ▶ Un verbe à la **forme pronominale** est conjugué avec un pronom personnel réfléchi.

Exemples

☞ Félix distribue les cartes.   → Félix **ne** distribue **pas** les cartes.

☞ Je **me** peigne.   Tu **te** montres généreuse.   Les invités **se** régalent.

▶ **Pour les temps composés**, la **négation** encadre l'auxiliaire (ou parfois l'auxiliaire et l'adverbe).

Félix **n'**a **pas** distribué les cartes.
Félix **n'**a toujours **pas** distribué les cartes.

▶ **Les temps composés** d'un verbe pronominal se construisent toujours avec l'**auxiliaire être**.

Je **me** suis peignée.
Tu **t'**es montrée généreuse.
Les invités **se** sont régalés.

Et pour en savoir plus...

 Attention ! Le **pronom personnel** qui précède le verbe n'est pas toujours un pronom réfléchi.

La coiffeuse **m'**a peignée.   Le cuisinier **nous** a régalés.

m' et ***nous*** → pronoms personnels compléments

1 ▶ Mettez ces phrases à la forme affirmative.

Quand je nage plus de deux cents mètres, je ne suis pas fatiguée.
Je n'écoute jamais de musique folklorique.
Ce champ situé en lisière de la forêt ne produit guère de céréales.
Vous ne bouclerez pas votre ceinture de sécurité dans l'autocar.
Les prix des produits pétroliers n'augmentent plus.
Les fusées du feu d'artifice n'éclatent pas dans la nuit.
Kamel ne comprend rien, et pourtant la lettre est écrite en anglais.
Laissé hors du réfrigérateur, le lait ne tournera pas en quelques jours.

2 ▶ Répondez négativement aux questions ; vous emploierez une locution négative qui convient.

Avez-vous déjà sauté en parachute ?
Quelqu'un a-t-il déjà posé le pied sur Mars ?
Connais-tu son adresse et son numéro de téléphone ?
Ludovic a-t-il toujours raison ?
La brume s'est-elle dissipée partout ?
Tous les champs de seigle ont-ils été moissonnés ?
Tout le monde peut-il entrer dans ce local ?
Ce candidat a-t-il réponse à tout ?
Ce film est-il sous titré ou doublé en français ?

3 ▶ Conjuguez les verbes de ces expressions au présent, puis au passé composé de l'indicatif.

se plaindre du bruit   se diriger vers la sortie
se perdre dans la vieille ville   s'arrêter de fumer
s'envoler pour l'Amérique   se boucher les oreilles

4 ▶ Encadrez les verbes employés à la forme pronominale.

L'infirmière se dévoue pour apporter du réconfort aux malades.
Je vous rends les cent euros que vous m'aviez prêtés.
Les touristes s'émerveillent devant les chutes du Niagara.
Tu nous aides à déménager et tu te charges des caisses de livres.
Cet auvent vous abritera de la pluie ; prenez-en soin.
Lionel m'indique où se trouve la rue des Tilleuls.
Pour faire disparaître ces taches de cambouis, lave-toi avec ce produit.

RÉPONSES P. 106

> ▶ Les **points** – simples, d'interrogation, d'exclamation – marquent la fin d'une phrase dont le sens est complet.
>
> ▶ La **virgule** indique une courte pause dans la phrase.
>
> ▶ Le **point-virgule** sépare des propositions ou des expressions qui n'ont pas de lien direct.

☞ Quand le vent souffle, les voiliers prennent de la vitesse.

☞ Karim se rend au gymnase ; y retrouvera-t-il ses coéquipiers ?

☞ Ce vêtement te plaît ; essaie-le !

On emploie la virgule pour :

▶ **séparer** des éléments de même nature dans une proposition ou une phrase ;
Les lions, les tigres, les léopards sont des fauves impressionnants.

▶ **isoler** des mots dans une phrase ;
Il est temps, maintenant, de se mettre au travail.

▶ **isoler** un complément.
Au parking, les motos ont des emplacements réservés.

Et pour en savoir plus...

❀ L'emploi du **point-virgule** est délicat car il est souvent difficile de le distinguer du point ou de la virgule.

Ce soir, le feuilleton n'est guère intéressant ; nous regarderons un DVD.

Ce soir, le feuilleton n'est guère intéressant, nous regarderons un DVD.

Ce soir, le feuilleton n'est guère intéressant. Nous regarderons un DVD.

☀ Le **point-virgule** n'est jamais suivi d'une majuscule.

1 ▶ Placez les points qui conviennent.

À votre avis, l'éléphant est-il herbivore ou carnivore
M. Sarda ramone sa cheminée ; quelle besogne salissante
Retranchés devant leur but, les Marseillais obtiendront-ils le match nul
Surtout ne sortez pas un paquet de cigarettes dans un cinéma
Mes propos sont des plus sérieux : ne riez pas
Dans quelle case faut-il mettre la réponse
Les bretelles de Michel font l'admiration de ses amis
N'allez surtout pas sur un chantier de construction sans casque
Le badminton est un sport qui exige d'excellents réflexes

2 ▶ Placez correctement les points-virgules.

La publicité envahit le petit écran elle interrompt même les films.
La planète se réchauffe la banquise fond d'année en année.
La braderie de Lille débute aujourd'hui la foule est déjà compacte.
La bouteille d'eau est vide en voulez-vous une autre ?
Ce cabanon semble abandonné son toit est en piteux état.

3 ▶ Placez correctement les virgules.

Dans cette entreprise chacun porte un badge autour du cou.
Au soir de la bataille de Solferino Henri Dunant fonda la Croix-Rouge.
Le bateau secoué par les vagues s'efforce de regagner le port.
À la station Châtelet vous changerez de métro.
Richard pour consulter sa messagerie se connecte à Internet.
Pinocchio le Petit Poucet le Chat botté sont des héros de contes.

4 ▶ Ponctuez correctement ce texte : majuscules, points et virgules.

j'ai gardé de mon premier contact avec la France le souvenir d'un porteur
à la gare de Nice avec sa longue blouse bleue sa casquette ses lanières de
cuir et un teint prospère fait de soleil d'air marin et de bon vin
la tenue des porteurs français est à peu près la même aujourd'hui et à
chacun de mes retours dans le Midi je retrouve cet ami d'enfance
nous lui confiâmes notre coffre lequel contenant notre avenir c'est-à-dire la
fameuse argenterie russe dont la vente devait assurer notre prospérité au
cours des quelques années qu'il me fallait encore pour me retourner et
prendre les choses en main

Romain Gary, *La Promesse de l'aube*, © Éditions Gallimard, 1960.

RÉPONSES P. 108

4 La ponctuation (2)

▶ Les guillemets encadrent un discours direct. L'ouverture des guillemets est souvent précédée de deux-points.

▶ Si plusieurs personnes dialoguent dans le discours direct, on place un tiret au début de chaque intervention d'une des personnes (sauf pour la première).

Exemples

 Lorsque l'orage éclate, l'agriculteur interroge son fils :
« As-tu mis le tracteur à l'abri ?
– Bien sûr, il est sous le hangar.
– Ajoute une bâche ; je serai plus tranquille. »

▶ Dans une phrase interrogative, on place un **trait d'union** entre le verbe et le pronom sujet. Il faut parfois ajouter la lettre **t** entre le verbe et le pronom.

Arroserez-vous bientôt ?
L'arrosage fonctionne-t-il ?

▶ On place également un **trait d'union** pour écrire certains nombres ou les noms composés.

dix-sept wagons-citernes

Et pour en savoir plus...

Parfois, dans un dialogue, il faut indiquer **la personne qui parle**. Dans ce cas, on ne ferme pas les guillemets après ses paroles : on place simplement une courte phrase entre deux virgules.

« Le tracteur est à l'abri, **déclare le fils,** et je l'ai recouvert d'une bâche. »

Cette **proposition incise** n'est jamais précédée d'un point et ne commence jamais par une majuscule.

 Entraînement

1 ▶ Placez correctement les guillemets et les deux-points.

Cet astronome déclare La vie existe peut-être sur Mars.
Le professeur commence toujours sa leçon ainsi Prenez votre livre.
Le douanier nous interroge Avez-vous des marchandises à déclarer ?
Le chef de gare est rassurant Le train partira à l'heure prévue.
Le plombier conseille son apprenti Tiens ton chalumeau plus fermement !
Marie avoue avec un grand sourire J'adore les macarons !
Raphaël l'admet volontiers Je n'aurais pas dû répondre aussi vite.
L'entraîneur nous encourage Encore un tour de piste et vous vous reposerez.

2 ▶ Copiez ces phrases en plaçant les guillemets et les deux-points.

L'hôtesse de l'air prend le micro Maintenant, attachez vos ceintures !
Le client interroge le vendeur Quel est le prix de cette machine à laver ?
Juliette l'admet volontiers Jamais je n'aurais dû oublier mon bonnet !
M. Béatrix l'avoue timidement J'ai un faible pour le chocolat…
Le cavalier murmure à l'oreille de son cheval Tout doux, Perceval !
Le conteur entame son récit En ce temps-là, la paix régnait…
Violaine manifeste son désaccord Jamais je ne vous suivrai sur cette voie.

3 ▶ Copiez ces phrases en plaçant les signes de ponctuation aux emplacements indiqués par les *.

Tiphaine m'interroge ** Connais*tu l'adresse de Sandra **
Le guide s'inquiète pour toi ** As*tu bien fixé tes crampons **
Ne touchez pas à ce champignon * c'est du poison *
Décontenancée Anita bafouilla ** Pourquoi n'irais*je pas avec vous **
L'edelweiss* plante protégée* est aussi appelé * immortelle des neiges **

4 ▶ Copiez ces phrases en plaçant des signes de ponctuation aux emplacements indiqués par les *.

Les fêtes de fin d'année approchent * les rues de la ville sont illuminées*
Avant l'apparition des tracteurs* les bœufs tiraient les charrues*
Le médecin rassure le sportif ** Vous rejouerez dans vingt*cinq jours **
Vous pouvez avoir confiance en moi * jamais je ne dévoilerai ce secret*
Le suspense est à son comble * Daisy sera*t*elle élue déléguée de classe *
L'ADN* acide désoxyribonucléique* est le support de notre hérédité*
Si je le pouvais* je ferais le tour de l'Europe * je visiterais les capitales*

RÉPONSES P. 109

13

Les noms

> ► Les **noms concrets** désignent des êtres ou des choses que nos sens distinguent.
>
> ► Les **noms abstraits** désignent des états, des actions, des idées, des relations, des notions.
>
> ► Les **noms communs** désignent des êtres, des lieux, des choses en général.
>
> ► Les **noms propres** désignent des êtres, des lieux, des choses en particulier. Ils commencent par une majuscule.

 Exemples

☞ **Noms concrets**	☞ **Noms abstraits**	☞ **Noms communs**	☞ **Noms propres**
une table	la franchise	un tableau	Guernica
un sommet	l'amitié	un peintre	Picasso

► Les noms ont tous un **genre** : **masculin** ou **féminin**.

► Il est indispensable de connaître le genre d'un nom car il entraîne de nombreux **accords**.
un petit chat affectueux
→ **une** petite chatte affectueuse

► Les noms communs (parfois les noms propres) varient en **nombre** : **singulier** ou **pluriel**.
un trottoir → **des** trottoirs
une allée → **des** allées
un Belge → **des** Belges

Et pour en savoir plus...

 Les **noms composés** sont constitués de deux ou trois mots reliés, le plus souvent, par un **trait d'union**.
des sapeurs-pompiers ; un arc-en-ciel ; un sèche-cheveux

 Certains noms ont **deux genres**, avec parfois des sens différents.

un enfant → **une** enfant
le tour (du quartier) → **la** tour (du château)

Entraînement

---

1 ▶ Soulignez tous les noms de ce texte.

Chaque jour, je vais jusqu'au rivage. Il faut traverser les champs ; les cannes sont si hautes que je vais à l'aveuglette, courant le long des chemins de coupe, quelquefois perdu au milieu des feuilles coupantes. Là, je n'entends plus la mer. Le soleil de la fin de l'hiver brûle, étouffe les bruits. Quand je suis tout près du rivage, je le sens parce que l'air devient lourd, immobile, chargé de mouches. Au-dessus, le ciel est bleu, tendu, sans oiseaux, aveuglant. Dans la terre rouge et poussiéreuse, j'enfonce jusqu'aux chevilles.

J.-M. G. Le Clézio, *Le Chercheur d'or*, © Éditions Gallimard, 1985.

2 ▶ Placez un article (un ou une) devant ces noms.

… détroit	… idole	… antilope	… rail
… réveil	… hymne	… artère	… paille
… bouteille	… idylle	… guérison	… oasis
… emblème	… pétale	… hérisson	… myosotis
… espèce	… tissu	… vertu	… barbare
… ciseau	… peau	… renvoi	… fanfare

3 ▶ Écrivez le féminin de ces noms masculins.

un musicien → …	un inspecteur → …	un nageur → …
un ouvrier → …	un copain → …	un tricheur → …
un cavalier → …	un canard → …	un neveu → …
un homme → …	un figurant → …	un acteur → …
un champion → …	un moniteur → …	un roi → …
un Lyonnais → …	un Allemand → …	un Brésilien → …
un Algérien → …	un Libanais → …	un Niçois → …

4 ▶ Écrivez ces noms au pluriel.

un camion → …	un tribunal → …	un échec → …
le vitrail → …	un cadeau → …	un banc → …
un portail → …	un aveu → …	un local → …
un clou → …	un œuf → …	un œil → …
le bijou → …	un canal → …	un bal → …
la paroi → …	un chou → …	un drapeau → …

RÉPONSES P. 109

> Le nom s'emploie rarement seul. Il est généralement précédé d'un déterminant. **Les articles sont les principaux déterminants.**

> **L'article défini** indique que le nom est pris dans un sens bien déterminé.

> **L'article indéfini** indique que le nom désigné est présenté comme un nom parmi d'autres.

> **L'article partitif** indique que l'on ne considère qu'une partie d'un tout. Il est formé de la préposition *de* et d'un article défini.

Exemples

☞ **Articles définis**
le jour – **la** journée – **les** jours – **les** journées

☞ **Articles indéfinis**
un jour – **une** journée – **des** jours – **des** journées

☞ **Articles partitifs**
du sable – **de la** viande – **des** biscuits

> Les articles *le* et *la* s'élident lorsque leur voyelle est remplacée par une apostrophe **devant un nom commençant par une voyelle ou un *h muet*.**

l'animal – l'orange – l'habit

> Les articles **définis** peuvent avoir **une forme contractée**.

Je vais **au** cinéma.
Pascal revient **du** parc.
Tu manges une omelette **aux** lardons.

Et pour en savoir plus...

Un **adjectif qualificatif** peut s'intercaler entre l'article et le nom.
de beaux jours – **une** belle journée

Il ne faut pas confondre les **articles définis**, qui se trouvent devant les noms, et les **pronoms personnels compléments**, qui se trouvent devant les verbes.

Le gazon pousse rapidement ; il faut <u>le</u> tondre.

1 ▶ Recopiez ce texte et soulignez les articles.

À Cordoue, vers le coucher du soleil, il y a quantité d'oisifs sur le quai qui borde la rive droite du Guadalquivir. Là, on respire les émanations d'une tannerie qui conserve encore l'antique renommée du pays pour la préparation des cuirs ; mais, en revanche, on y jouit d'un spectacle qui a bien son mérite. Quelques minutes avant l'angélus, un grand nombre de femmes se rassemblent sur le bord du fleuve, au bas du quai, lequel est assez élevé. Pas un homme n'oserait se mêler à cette troupe.

Prosper Mérimée, *Carmen*, 1845.

2 ▶ Soulignez les articles définis et encadrez les articles indéfinis.

Les pigeons envahissent le jardin public du quartier.
Tout au long du parcours, la foule acclame les coureurs.
La météo prévoit une amélioration du temps dans la matinée.
Le Club des anciens organise un concours de pétanque.
Dans les usines, les robots travaillent à la place des hommes.
À la première sonnerie, Maggy bondit sur le téléphone.
Les singes s'accrochent aux branches et réjouissent les visiteurs du zoo.

3 ▶ Complétez ces phrases avec les articles qui conviennent.

… jour de … examen, … candidats ont … gorge nouée par … trac.
… hirondelles rasent … surface de … étang à … poursuite de moucherons.
… bébé dort avec … ours en peluche dans … bras.
… journalistes posent … questions … ministre de … Santé.
… rayons … soleil dissipent … dernières nappes de brouillard.
Nous faisons … détour pour éviter … chantier de pose … canalisations.

4 ▶ Recopiez ce texte et placez les articles qui conviennent.

… première neige de … année tomba en abondance vers … fin de novembre. C'était … apparition précoce qui entraîna … Haut-Pays et presque tout … Sud dans … hiver sans précédent : pression inouïe … silence, calfeutrant de son étoupe … sang … fond … oreilles ; hameaux reclus ; bâtiments isolés ne perdant plus leurs bruits ; aurores boréales collées contre … vitres resplendissantes … givre ; nuits volatiles comme de … éther, irrespirables. Et … long glissement … heures à … intérieur … cours ensevelies où ne sautillait plus aucun oiseau.

Jean Carrière, *L'Épervier de Maheux*, 1972, DR.

RÉPONSES P. 110

> ► Les **déterminants possessifs** indiquent la possession, ou simplement une relation.
>
> ► Ce sont les seuls déterminants à porter une **marque de personne**.
>
> ► Seuls les déterminants singuliers marquent le **genre**.

Exemples

☞ **Un possesseur**
1re personne :
mon âge – **ma** taille – **mes** cheveux
2e personne :
ton stylo – **ta** curiosité – **tes** achats
3e personne :
son défaut – **sa** réussite – **ses** doigts

☞ **Plusieurs possesseurs**
1re personne :
notre écriture – **nos** efforts
2e personne :
votre joie – **vos** questions
3e personne :
leur place – **leurs** excuses

► Devant un nom féminin commençant par **une voyelle** ou un **h muet**, on emploie *mon*, *ton* ou *son*.

mon oreille – **ton** écharpe – **son** habitude

► Les déterminants possessifs sont parfois appelés **adjectifs possessifs**.

Et pour en savoir plus...

 Il ne faut pas confondre le **déterminant possessif *leur***, qui peut prendre la marque du pluriel, avec le **pronom personnel *leur***, qui est invariable.

Vous **leur** apportez **leurs** affaires.

 Les **déterminants marquant la possession** :
ma veste – **ta** mémoire – **son** appartement – **mes** mains – **tes** intentions – **ses** initiales

Les **déterminants marquant la relation** :
mon frère – **ton** professeur – **sa** direction – **notre** arrivée – **votre** travail – **leur** mariage

1 ▶ Complétez avec les déterminants possessifs qui conviennent.

Il serait bon que tu lui retrouves … clé.
Je suis mécontent car j'ai raté … correspondance.
Avez-vous payé … achats avec … carte bancaire ?
M. Berry essaie vainement de réchauffer … main gelée.
Ces enfants brossent … dents trois fois par jour.
Cette énigme a piqué … curiosité et tu réfléchis longuement.
Dans … situation, nous n'avons pas le choix : il faut réagir.
Avec cet appareil, M. Talbot contrôle lui-même … pouls.

2 ▶ Transformez ces groupes nominaux comme dans l'exemple.

Les chaussures que je dois cirer. → *mes* **chaussures**

Les timbres que tu tries consciencieusement.　→ …
Le fanion que Florian brandit fièrement.　→ …
Les secrets que nous ne dévoilerons jamais.　→ …
La peur qu'ils ont eue à la vue du cobra.　→ …
L'ordinateur que je viens d'allumer.　→ …

3 ▶ Transformez le groupe nominal en un groupe nominal de sens équivalent.

son permis de conduire → *le permis qui lui permet de conduire*

ses photographies de vacances → …　　notre carte bancaire → …
leur bateau de pêche → …　　son vélo de course → …
sa bague de fiançailles → …　　ton blouson en cuir → …
ma collection de soldats de plomb → …　　leurs cordes vocales → …
ta date de naissance → …　　votre cicatrice au front → …

4 ▶ Complétez avec leur(s), déterminant possessif, ou leur, pronom personnel.

Comment les spectateurs font-ils pour calmer … impatience ?
Les moniteurs de voile sont expérimentés ; on peut … faire confiance.
Les mines de fer de Lorraine ont fermé … puits depuis vingt ans.
Les chalets ont … toits couverts d'une épaisse couche de neige.
Les pieuvres déploient … tentacules ; c'est impressionnant !
Les jeunes écoutent le potier qui … présente son métier.
Les plongeurs prennent soin de … masque et de … palmes.
Les Inuits ont des traîneaux qui … permettent de se déplacer.

RÉPONSES P. 111

> ▶ Le **déterminant démonstratif** accompagne un nom que l'on désigne ou que l'on montre précisément.
>
> ▶ Le **déterminant démonstratif** permet également d'évoquer un nom précédemment cité.

Exemples

☞ **Ce** carrefour est équipé de feux tricolores.

☞ La rue Locar n'est pas loin ; la boulangerie se trouve dans **cette** rue.

☞ **Cet** agneau n'a que trois semaines.

☞ Où avez-vous trouvé **ces** fleurs et **ces** champignons ?

▶ Le déterminant démonstratif singulier indique le **genre**.

▶ Le déterminant démonstratif pluriel n'indique pas le **genre**.

cette affiche – **ce** travail
ces affiches – **ces** travaux

▶ Devant un nom masculin débutant par une voyelle ou un **h** muet, **on emploie la forme cet** par euphonie, pour éviter de prononcer successivement deux voyelles.

Et pour en savoir plus...

 Les déterminants démonstratifs peuvent être renforcés avec l'élément **-ci**, qui marque la **proximité**, ou l'élément **-là**, qui marque l'**éloignement**.

cette robe-ci – **cet** arbre-là

 Il ne faut pas confondre les formes homophones **ces**, déterminant démonstratif, avec **ses**, déterminant possessif.

Pour bien les distinguer, on met le nom au singulier.

Ces vêtements sont en laine. → **Ce** vêtement est en laine.
Mathias repasse **ses** vêtements. → Mathias repasse **son** vêtement.

 **Entraînement**

1 ▶ Complétez avec les déterminants démonstratifs qui conviennent.

... vallée	... lagune	... modèle	... manières
... album	... étoiles	... antenne	... bateau
... ordinateur	... cheveux	... œil	... feuille
... lunettes	... ballon	... bulletin	... journaux
... moteur	... glaciers	... jeux	... bougie
... hôpital	... fanfare	... araignées	... homme
... bûches	... insecte	... cabane	... magasins

2 ▶ Complétez avec les déterminants démonstratifs qui conviennent.

Le temps est exécrable ; je ne partirai pas dans ... conditions.
Avec ... médicament, vos douleurs disparaîtront rapidement.
... perruque est identique à celles que portaient les courtisans.
J'aime ... chansons qui me rappellent mon voyage en Italie.
... appel de détresse provient des îles Kerguelen.
... aviateurs prennent des risques inutiles à bord de leur biplan.
Dans ... bibliothèque, on compte plus de deux mille volumes.

3 ▶ Remplacez les noms en gras par ceux entre parenthèses, accordez et faites les transformations nécessaires.

On pourra explorer ces **gouffres** (grotte) lorsque la pluie cessera.
Pourquoi n'écoutez-vous pas cette **chanson** (disques) ?
Ces **rayures** (motif) produisent un effet original ?
Avec ce **potiron** (poireaux), je vais faire une bonne soupe.
Ces **nuages** (éclair) annoncent un orage.
Ne consommez pas cette **barquette** (produits) : elle est avariée !
Ces **vêtements** (combinaison) imperméables te protégeront efficacement.

4 ▶ Complétez avec ses ou ces.

On écoute M. Dumont car ... propos sont toujours intéressants.
Le commerçant reçoit ... clients avec le sourire.
Mme Alibert nourrit régulièrement ... poissons rouges.
... nouveaux skis sont révolutionnaires ; avec eux, plus de chutes !
Toutes ... bonnes nouvelles nous mettent d'excellente humeur.
Pour percer le mur, M. Odet sort sa perceuse et ... mèches à béton.
... terrains vagues seront prochainement aménagés en parkings.

RÉPONSES P. 112

▶ Le **déterminant interrogatif** s'emploie pour une interrogation partielle, qui porte uniquement sur le nom qu'il précède.

▶ Le **déterminant exclamatif** permet d'exprimer l'admiration, l'étonnement **ou** l'indignation.

▶ Les **déterminants interrogatifs** et **exclamatifs** ont les mêmes formes. Ils se distinguent par le signe de ponctuation qui suit le groupe de mots.

Exemples

☞ **Déterminants interrogatifs**
Quel maillot porteras-tu ?
Quelle tenue porteras-tu ?
Quels vêtements porteras-tu ?
Quelles chaussures porteras-tu ?

☞ **Déterminants exclamatifs**
Quel beau maillot !
Quelle belle tenue !
Quels beaux vêtements !
Quelles belles chaussures !

▶ L'interrogation **complète** :
Avez-vous choisi une direction ?

L'interrogation **partielle** :
Quelle direction avez-vous choisie ?

▶ Le déterminant **exclamatif** s'emploie le plus souvent dans des **phrases nominales**.
Quel exploit !
Quelle soirée mémorable !

Et pour en savoir plus...

 Le déterminant interrogatif est parfois employé dans l'**interrogation indirecte**.
Dis-moi **quel** maillot tu portes.

 Le déterminant interrogatif ne se combine avec aucun autre déterminant, à l'exclusion de **autre**.
Quel <u>autre</u> maillot pourriez-vous porter ?

Entraînement

---

1 ▶ Complétez avec les déterminants interrogatifs qui conviennent.

En … saison sommes-nous ?   … candidats ont été retenus ?
… dessert préférez-vous ?   … prénom portez-vous ?
… code as-tu choisi ?   … pièces donnez-vous ?
De … ville ce train arrive-t-il ?   … outils allons-nous utiliser ?
… distance me sépare de toi ?   … chemise vais-je choisir ?
À … vitesse cet avion vole-t-il ?   … disques te plaisent le plus ?

2 ▶ Complétez avec les déterminants exclamatifs qui conviennent.

… superbes bijoux !   … travail éprouvant !
… belle journée !   … femmes courageuses !
… tableaux originaux !   … descente vertigineuse !
… chaleur étouffante !   … fins voiliers !
… émissions passionnantes !   … solides barreaux !
… bons moments !   … vastes espaces !

3 ▶ Complétez avec les déterminants interrogatifs qui conviennent.

Dans … ville le poète Arthur Rimbaud est-il né ?
… numéros as-tu cochés sur la grille du Loto ?
Avec … actrices Romain Duris a-t-il tourné ce film ?
… carburant faut-il verser dans le réservoir de cette voiture ?
Sur … île Christophe Colomb a-t-il abordé pour la première fois ?
… épices le cuisinier va-t-il mettre dans le ragoût de mouton ?
… pinceau prendre pour réussir à étaler la couche de laque ?

4 ▶ Complétez avec les déterminants interrogatifs ou exclamatifs qui conviennent.

Ce cheval a remporté sans opposition la course du tiercé ; … crack !
Avec … logiciel rédigerez-vous votre curriculum vitae ?
Ce petit vent du nord, … brise rafraîchissante en plein mois d'août !
… boulangerie reste ouverte en cette fin de soirée ?
À l'issue d'un match de football, … suspense que l'épreuve des penaltys !
… places avez-vous réservées pour le prochain spectacle ?
… cadeaux vous a-t-on offerts pour votre anniversaire ?
Connaissez-vous les tapisseries d'Aubusson ? … merveilles !

RÉPONSES P. 112

> ▶ Les **déterminants indéfinis** indiquent une quantité ou une qualité.

> ▶ Ils donnent une information sur la **valeur nulle**, **unique**, **semblable**, **totale** ou **imprécise** du nom qu'ils déterminent.

☞ **Principaux déterminants indéfinis**

Valeur nulle : aucun – nul – pas un   **Valeur unique :** chaque – chacun

Valeur semblable : même – tel – autre   **Valeur totale :** tout

Valeur imprécise : certains – divers – différents – maint – plusieurs – quelque – n'importe quel – quelconque – plus d'un – la plupart

▶ Après les déterminants indéfinis de sens négatif, **il ne faut pas oublier de placer la particule négative**.

Aucune de ces propositions **ne** me convient.

Nul navigateur **ne** se risquera sur une mer aussi agitée.

▶ Certains déterminants ne sont **variables qu'en genre** : *aucun(e) – différent(e)s – divers(e)s*

▶ D'autres ne sont **variables qu'en nombre** : *quelque(s) – même(s) – autre(s)*

▶ Quelques-uns sont **invariables** : *chaque – plusieurs*

Et pour en savoir plus...

 À certains déterminants indéfinis correspondent des **pronoms indéfinis**. (Voir p. 44)

Aucun ne peut rivaliser avec ce champion.

Nul ne sait où s'arrête l'univers.   **Chacun** prit place dans les gradins.

 Quelque, *même*, *tout* peuvent aussi être des adverbes. (Voir p. 54)

Quelque mystérieux que soient ces manuscrits, ils seront déchiffrés.

Ce produit fait disparaître les taches, **même** les plus importantes.

Tout malins qu'ils soient, ils n'ont pas vu venir la catastrophe.

1 ▶ Complétez avec les déterminants indéfinis qui conviennent.

tous – telle – pas un – maintes – aucune – diverses

M. Tardieu n'a … difficulté à régler le ralenti du moteur.

… les appartements de cet immeuble possèdent une vue sur la mer.

… qualités d'huile d'olive sont à disposition des clients.

Dans ce puzzle de cinq cents pièces, … morceau ne manque.

Après … tentatives infructueuses, la fusée a enfin décollé.

On n'a pas vu une … finale depuis bien longtemps.

2 ▶ Complétez avec les déterminants indéfinis qui conviennent.

plusieurs – n'importe quelle – chaque – certaines – chacune – différente – nul

Dans … circonstances, il vaut mieux se taire que parler trop vite.

Au départ de la course, … jockey porte une casaque … .

Beaucoup pensent que … compositeur n'égalera jamais Mozart.

… des caisses est munie d'un lecteur électronique d'étiquettes.

Sur ce menu, on a le choix entre … entrées.

Ce basketteur marque des paniers dans … position.

3 ▶ Complétez avec les déterminants indéfinis qui conviennent. Il peut y avoir plusieurs solutions.

… nageur ne se risquerait à affronter ces vagues gigantesques.

M. Roméro a changé de voiture, mais il a choisi le … modèle.

Il ne reste plus que … jours pour participer à ce concours de photos.

… de ces champignons n'est comestible ; jetez-les.

… les issues de secours sont dégagées ; les pompiers l'ont vérifié.

… chanteuses ont tenté d'imiter Édith Piaf ; aucune n'y est parvenue.

Dans ce lagon, on découvre … espèces de poissons de corail.

4 ▶ Complétez avec les déterminants indéfinis qui conviennent. Il peut y avoir plusieurs solutions.

Le mécanicien n'a pas de tournevis, mais … outil fera aussi bien l'affaire.

Avec une … coiffure, il est certain que Diana ne passera pas inaperçue.

Au petit matin, … les sapins sont recouverts de givre.

L'avenue Renoir est en travaux, mais les … rues sont totalement dégagées.

L'architecte surveille le chantier ; il ne néglige … détail.

… des rivières du Nord de la France sont navigables.

RÉPONSES P. 113

(11) Les déterminants numéraux

> ▶ Les **déterminants numéraux cardinaux** (les nombres) se placent devant le nom pour indiquer une quantité. Ils sont **invariables**.
>
> ▶ Les **déterminants numéraux ordinaux** indiquent l'ordre. Ils sont **variables** et s'accordent comme des adjectifs qualificatifs.

☞ **douze** litres – **quarante** jours – **cent** kilos – **mille** euros

☞ les **premières** années – les **secondes** classes – les **neuvièmes** rencontres

---

▶ On place **un trait d'union** entre les dizaines et les unités, sauf si elles sont unies par *et*.

trente-sept ; vingt-neuf ; soixante-dix-huit ; cinquante **et** un

▶ *Vingt* et *cent* s'accordent quand ils indiquent un nombre exact de centaines ou de dizaines.

deux cent**s** **mais** deux cent dix quatre-vingt**s** **mais** quatre-vingt-huit

*E*t pour en savoir plus...

 Les noms tels que *douzaine*, *centaine*, *million*, *milliard* **s'accordent**.

deux douzaine**s** d'huîtres – des centaine**s** d'euros – des milliard**s** d'étoiles

Les noms tels que *moitié*, *quart*, *cinquième*, *dixième*, *centième*, *millième*, qui désignent les parties d'un tout, **s'accordent**.

les trois quart**s** des objets – huit dixième**s** de seconde – cinq millième**s** de millimètre

⚠ *Mille* et *millier* sont synonymes, mais *mille* est **invariable**.
trois millier**s** d'oiseaux   trois mille oiseaux

 En Suisse et en Belgique, les formes *septante*, *nonante* (voire *octante*) sont employées à la place de *soixante-dix*, *quatre-vingt-dix* (voire *quatre-vingts*).

1 ▶ Écrivez ces nombres en gras en lettres.

37 morceaux   **48** heures   **39** marches   **80** jours

90 litres   **59** hectares   **16** étages   **52** cartes

81 points   **113** numéros   **275** tonnes   **4 000** habitants

2 ▶ Écrivez ces nombres en gras en lettres.

Sous le choc, tu as vu **36** chandelles.

Dans une journée de travail, Fatima a rempli **240** cartons de savonnettes.

Avez-vous feuilleté les **156** pages de cet album ?

Cette usine emploie **630** ouvriers et **34** ingénieurs.

Le collège Jules-Ferry accueille aujourd'hui ses **488** élèves.

4 341 billets ont été vendus pour ce spectacle de danse moderne.

29 pour cent des Français partent en vacances à la montagne.

Sur ce terrain, il est prévu de construire **80** logements.

3 ▶ Complétez avec les nombres qui conviennent, écrits en lettres.

On dit qu'être … à table, cela porte malheur.

Ali Baba a découvert le trésor des … voleurs au fond d'une caverne.

En agglomération, la vitesse est limitée à … kilomètres à l'heure.

Dans une journée, il y a … heures, donc … minutes.

Raoul attend son ami ; il fait les … pas sur le quai de la gare.

Dans une année bissextile, il y a … jours.

Tuer l'hydre de Lerne fut l'un des … Travaux d'Hercule.

En France, l'âge de la majorité est fixé à … ans.

4 ▶ Écrivez ces nombres en gras en lettres.

Le mont Blanc culmine à **4 810** mètres d'altitude.

Cette voiture possède un moteur de **1 200** centimètres cubes.

Combien de dollars Mme Tanier obtiendra-t-elle en changeant **800** euros ?

M. Nicolas a une collection de **12 500** timbres.

Connaissez-vous une ville de **20 000 000** d'habitants ?

Ce secteur industriel a licencié plus de **80 000** travailleurs.

5 ▶ Accordez, s'il y a lieu, ces mots en gras.

les **premier** bourgeons   des **second** rôles

les **deuxième** classes   les trois **quart** du litre

deux **dixième** de seconde   cinq **milliard** d'insectes

RÉPONSES P. 114

27

12 Les adjectifs qualificatifs

> ► **L'adjectif qualificatif** apporte une précision au nom avec lequel il s'accorde en genre et en nombre.
>
> ► Pour accorder un adjectif qualificatif au **féminin**, il suffit souvent d'ajouter un *-e* à l'adjectif masculin.
>
> ► Pour accorder un adjectif qualificatif au **pluriel**, il suffit souvent d'ajouter un *-s* à l'adjectif singulier.

Exemples

 un cheveu court → une mèche courte

 des cheveux courts → des mèches courtes

► Pour certains adjectifs qualificatifs, la terminaison de l'adjectif masculin est modifiée au **féminin**.

un temps sec → une saison sèche ; un gros billet → une grosse somme ; un lit ancien → une chaise ancienne ; un résultat nul → une valeur nulle ; un geste vif → une réaction vive ; un tissu léger → une étoffe légère ; un fils heureux → une fin heureuse ; un œuf frais → une crème fraîche

► Quelques adjectifs qualificatifs masculins prennent un *-x* au **pluriel**.

de nouveaux et beaux projets

► Les adjectifs qualificatifs masculins en *-al* se terminent par *-aux* au **pluriel**.

un journal local → des journaux locaux

Exceptions : navals – bancals – fatals

Et pour en savoir plus...

 Les **participes passés** et les **participes présents** peuvent être employés comme des **adjectifs qualificatifs**. Ils s'accordent alors normalement avec le nom.

une biscotte sucrée et croquante

Entraînement

1 ▶ Accordez les adjectifs qualificatifs en gras avec chacun des noms.

(courageux)	une femme …	des hommes …	des soldats …
(absent)	une ponctuation …	des accents …	des virgules …
(tropical)	une pluie …	des fruits …	des régions …
(léger)	une plume …	des vents …	des tenues …
(inattendu)	une visite …	des propos …	des réactions …
(public)	une école …	des jardins …	des places …
(faux)	une … adresse	de … numéros	de … directions
(amer)	une orange …	des goûts …	des endives …

2 ▶ Remplacez les adjectifs qualificatifs en gras par leur contraire.

Ce roman d'aventures a été écrit par un homme **célèbre**.
À midi, Ghislaine prendra un repas **chaud** au self-service.
Le correcteur entoure seulement les réponses **exactes** du test.
On se baigne tous les ans dans un plan d'eau **naturel**.
On cultive la vigne dans les terrains **humides** du Sud de la France.
L'emplacement de parking est **étroit** et la voiture va se garer.
Ce vase en porcelaine est **solide** ; prenez-en le plus grand soin.

3 ▶ Remplacez les groupes de mots en gras par un adjectif qualificatif.

Les hommes **de la préhistoire** mangeaient de la viande **qui n'était pas cuite**.
Les randonneurs couchent dans un refuge **de montagne**.
Des oreilles **qui manquent de discrétion** peuvent nous écouter ; parlons bas.
Il fait froid ; les sapins sont **recouverts de givre**.
Les enfants aperçoivent le Père Noël ; ils poussent des cris **de joie**.
Merlin l'Enchanteur est un héros **de légende**.
L'explorateur arrive dans une région **que personne ne connaissait**.
Seules les actrices descendent dans cet hôtel **de luxe**.

4 ▶ Complétez ces phrases avec des adjectifs qualificatifs de votre choix.

Les vêtements … en solde sont de … qualité, mais parfois un peu … .
Les gestes … du bijoutier lui permettent de réparer la bague … .
Les meubles … en blanc mettent une note … dans la cuisine.
La ligne … Paris-Pékin est … depuis trois mois.
Les châteaux … protégeaient les seigneurs et leur famille.
Magali exerce une profession … ; elle en est … .

RÉPONSES P. 115

▶ L'adjectif qualificatif peut être placé avant ou après le nom ; il est alors **épithète**.

▶ L'adjectif qualificatif peut être séparé du nom (ou du pronom) par un verbe, très souvent le verbe *être* ; il est alors **attribut du sujet**.

 Épithètes

Nous faisons une **petite** pause.
Farid retrouve sa place **habituelle**.

 Attributs

Les perroquets sont **bavards**.
Ils sont **exigeants**.

▶ L'adjectif qualificatif **épithète** peut être séparé du nom par un **adverbe**.

un enfant <u>très</u> **curieux**

▶ Le verbe qui sépare le nom de l'adjectif qualificatif **attribut** est un **verbe d'état**.

Elle <u>paraît</u> **fatiguée**.
Lionel <u>semble</u> **heureux**.

Et pour en savoir plus...

 Il y a d'**autres attributs du sujet** que les adjectifs qualificatifs :

– un nom : M. Romain est **architecte**.
– un pronom : Si j'étais **toi**, je renoncerais.
– un infinitif : Vouloir, c'est souvent **pouvoir**.

 Les adjectifs qualificatifs, **épithètes** ou **attributs**, peuvent avoir des **compléments**.

Les campeurs s'installent sous des tentes **abritées** <u>du vent</u>.
Ces acteurs sont **célèbres** <u>dans le monde entier</u>.

 L'adjectif qualificatif est parfois **attribut** du **complément d'objet**.

Cette pizza est bien cuite ; je <u>la</u> trouve **délicieuse**.

Délicieuse est attribut du complément d'objet *la*.

1 ▶ **Copiez ces phrases, entourez les adjectifs qualificatifs épithètes et soulignez ceux qui sont attributs.**

Cet homme a touché le gros lot ; maintenant il est riche.
La grille est fermée par une énorme chaîne munie d'un cadenas.
Cette comédienne débutante est talentueuse ; son avenir semble prometteur.
Vos paroles sont inaudibles : je n'en comprends pas un traître mot.
La route transsaharienne est monotone ; les oasis sont rares.

2 ▶ **Complétez ces phrases avec les adjectifs qualificatifs suivants. Accordez-les et soulignez ceux qui sont épithètes.**

jeune – voyant – musical – frais – vieil – folklorique – vacant – bon – plein – traditionnel – tondu – pluvieux – automnal

L'été, on peut apprécier les spectacles … en … air.
En saison …, les journées sont souvent … .
Les … filles de cette troupe … portent des costumes … .
La pelouse vient d'être … ; on sent l'herbe … .
Qui peut porter des vêtements aussi … ?
À l'Académie française, trois sièges sont actuellement … .
Ces … voitures sont … pour la ferraille.

3 ▶ **Complétez ces phrases avec des adjectifs qualificatifs épithètes de votre choix.**

Un … vent souffle le long des allées … .
Ces stations … accueillent les personnes … de maladies de peau.
Les sentiers … ne sont pas toujours goudronnés.
Sur un chantier, tous les ouvriers portent un casque … .
Pour traverser les … avenues, empruntez toujours les passages … .
La place … est envahie par une foule d'admirateurs … .

4 ▶ **Complétez ces phrases avec des adjectifs qualificatifs attributs de votre choix.**

La sentinelle reste … ; elle réagit dès qu'elle entend du bruit.
On dit que le roi Louis X est mort … par la comtesse de Bourgogne.
Les résultats de l'expérience sont … ; la mise au point d'un vaccin est … .
Victime d'un étourdissement, Helena est tombée … sur le sol.
L'aiguille d'une boussole demeure toujours … vers le nord magnétique.
Toute tentative de sortie du port est … : il y a trop de vent.

RÉPONSES P. 116

14 · L'apposition

> Lorsqu'il est séparé du nom par une ou des virgules, l'adjectif qualificatif est mis en **apposition** ; celle-ci apporte un complément d'information sur le nom.

> L'**apposition** peut également être un **nom** (ou un groupe nominal), un **pronom** (ou un groupe pronominal), un **infinitif** (ou un groupe infinitif) ou une **subordonnée**.

☞ **Un adjectif**
Célèbre, Daniel Pennac dédicace ses livres.

☞ **Un nom (ou un groupe nominal)**
Daniel Pennac, **le célèbre écrivain**, dédicace ses livres.

☞ **Un pronom (ou un groupe pronominal)**
Daniel Pennac, **celui que tout le monde admire**, dédicace ses livres.

☞ **Un infinitif (ou un groupe infinitif)**
Daniel Pennac n'a qu'une idée en tête, **trouver un sujet de roman**.

☞ **Une subordonnée**
Daniel Pennac, **qui écrit des romans**, vit dans le quartier de Belleville.

> L'adjectif qualificatif mis en apposition est souvent accompagné d'**un complément**.

Célèbre **pour ses nombreux romans**, Daniel Pennac dédicace ses livres.

Et pour en savoir plus...

Il ne faut pas confondre l'**apposition** et le **complément du nom**.

L'**apposition** et le nom, auquel elle apporte un complément d'information, renvoient à la **même réalité**.

Daniel Pennac exerce la profession **d'écrivain**.

Le **complément du nom** concerne une **réalité différente** de celle du nom.

Le livre **de Daniel Pennac** ménage le suspense.

1 ▶ **Accordez les adjectifs qualificatifs en gras.**

(Minoritaire), les gauchers ne trouvent pas toujours des ciseaux *(adapté)*.
La récolte de framboises, *(abondant)* cette année, réjouira les gourmands.
La pause, trop *(bref)*, n'a pas permis aux randonneurs de se reposer.
(Malheureux), cette nageuse n'a pas réussi à battre son record.
Les nids d'hirondelle, *(apprécié)* des Chinois, sont *(consommé)* en soupe.
(Recyclable), ces produits permettront d'économiser de l'énergie.
(Acheminé) par avion, ces lettres seront *(distribué)* dans la journée.

2 ▶ **Accordez les adjectifs qualificatifs en gras, puis déplacez les appositions.**

Les piétons, *(semblable)* à une colonne de *(minuscule)* fourmis, s'acheminent vers la gare Montparnasse.
(Rare), donc *(précieux)*, ces statuettes des îles Salomon valent une *(petit)* fortune lorsqu'elles sont *(vendu)* aux enchères.
(Contrarié) par des vents *(violent)*, les *(frêle)* planeurs ne pourront pas se poser sur leur piste *(habituel)*.
(Dévasté) par une tornade *(inattendu)*, toutes les maisons de ce village devront être *(reconstruit)* dans les *(meilleur)* délais.

3 ▶ **Complétez ces appositions avec des adjectifs qualificatifs de votre choix.**

…, le terrain ne permettra pas à la partie de se dérouler normalement.
Bien …, ces alpinistes ont entrepris l'ascension du mont Maudit.
Les rhinocéros, … pour leur corne, disparaissent de la savane.
Les fleurettistes, … par un casque, se livrent un assaut … .
… par une foule en délire, les musiciens entrent en scène.
… pour la beauté de ses plages, la Martinique accueille les touristes.

4 ▶ **Complétez ces phrases avec des appositions de votre choix.**

Les légumes, …, doivent être consommés abondamment.
Ces coureurs, …, s'entraînent quotidiennement.
…, ces toitures sont caractéristiques de la région angevine.
L'acrobate, …, exécute plusieurs sauts périlleux consécutifs.
L'actrice, …, s'apprête à rejouer la scène pour la sixième fois.
…, la pizza sera livrée par un coursier dans une demi-heure.
Cette étoile, …, se trouve à des années-lumière de la Terre.

RÉPONSES P. 116

Les degrés
de l'adjectif qualificatif

▶ Les adjectifs qualificatifs peuvent avoir **différents degrés de signification**.

▶ Le **comparatif** comporte **trois nuances** exprimées par un adverbe : comparatif de supériorité, comparatif d'infériorité et comparatif d'égalité.

▶ Le **superlatif** comporte **deux nuances** exprimées par un adverbe : superlatif de supériorité et superlatif d'infériorité.

☞ **Comparatif de supériorité**
Luc est **plus** adroit que Léo.

☞ **Comparatif d'infériorité**
Luc est **moins** adroit que Léo.

☞ **Comparatif d'égalité**
Luc est **aussi** adroit que Léo.

☞ **Superlatif de supériorité**
Luc est **le plus** adroit.

☞ **Superlatif d'infériorité**
Léo est **le moins** adroit.

▶ Le superlatif peut être simplement **absolu** : il quantifie sans élément de comparaison.

Luc est **très** adroit.   Léo est **très peu** adroit.

Et pour en savoir plus...

Les compléments du **comparatif** et du **superlatif** peuvent être :
– des noms : Luc est **plus adroit** que Léo. Luc est **le plus adroit** des tireurs.
– des pronoms : Luc est **plus adroit** que toi. Luc est **le plus adroit** de tous.

Les compléments du **comparatif** peuvent également être :
– des adjectifs : Luc est **plus adroit** que prévu.
– des adverbes : Luc est **plus adroit** qu'avant.

Entraînement

1 ▶ Classez ces phrases selon que les comparatifs expriment la supériorité, l'égalité ou l'infériorité.

La capitale du Mexique est plus peuplée que celle du Chili.
Le trajet par l'autoroute est moins long que par la route nationale.
Le concert de dimanche a duré aussi longtemps que celui de samedi.
Ce fromage frais est plus gras que celui que vous avez choisi.
Les cheveux de Lise sont aussi longs que ceux de Vanessa.
Ce joueur de tennis est moins calme que son adversaire.
L'eau du robinet est aussi bonne que l'eau de cette source.

2 ▶ Complétez ces phrases avec un adjectif qualificatif de votre choix.

Ce film est plus … que celui que j'ai vu la semaine dernière.
Le baladeur de Saïd est plus … qu'une boîte d'allumettes.
La traversée de la rivière est aussi … que celle du torrent.
Philippe est moins … que son camarade Amaury.
Le linge lavé à la machine est aussi … que celui lavé à la main.
Ce problème est moins … que celui que vous m'aviez posé auparavant.

3 ▶ Complétez ces comparatifs avec un complément de votre choix.

La nourriture de ce restaurant est aussi savoureuse … .
Le couteau du boucher est plus aiguisé … .
La salle de sport est moins bruyante … .
Le canapé du salon est aussi confortable … .
Le château de Versailles est plus connu … .
Le climat de l'Espagne est moins froid … .
L'accueil que nous a fait Camille est aussi chaleureux … .
Aujourd'hui, les conditions météo sont plus favorables … .

4 ▶ Complétez ces superlatifs avec un complément de votre choix.

Le renard de la fable est le plus rusé … .
Ce village provençal est le moins visité … .
La Corse est la plus étendue … .
À l'arrivée, le Russe est le moins fatigué … .
Les gazelles sont moins rapides … .
Le dernier virage est le plus dangereux … .

RÉPONSES P. 117

▶ Un nom ou un groupe nominal peut être complété par un autre mot (généralement un nom) précédé d'une préposition : c'est un **complément du nom**.

▶ Le **complément du nom** est placé après le nom et ne s'accorde ni en genre ni en nombre avec celui-ci.

☞ Nous nous trouvons devant l'entrée **du théâtre**.

☞ Il n'y a rien de meilleur qu'un pain **de campagne**.

☞ L'actrice porte un bijou **en or**.

▶ Le complément du nom ne s'accorde pas avec celui-ci, mais il peut être au **singulier** ou au **pluriel** selon le sens.

des champs **de colza**

▶ Comme le nom, l'**adjectif qualificatif** peut avoir un complément.

un pain <u>cuit</u> **au feu de bois**

Et pour en savoir plus...

 Le **complément du nom** peut être un autre mot qu'un nom :

– un verbe à l'infinitif : une machine **à laver**
– un pronom indéfini : la part **de chacun**
– un adverbe : une goutte **de trop**
– un pronom personnel : l'estime **de soi**

 Le sens du **complément du nom** peut varier selon la préposition utilisée.

une tasse **à café** → une tasse pour servir le café
une tasse **de thé** → une tasse remplie de thé
une tasse **en porcelaine** → une tasse dont la matière est la porcelaine
la tasse **de** Géraldine → la tasse appartenant à Géraldine

1 ▶ Copiez ces phrases en supprimant les compléments du nom.

Les éléphants d'Afrique ont de longues défenses et de grandes oreilles.
Les oiseaux de proie tournoient au-dessus des champs de blé.
Le tapis de la souris représente un tableau de Claude Monet.
Les parcs à huîtres sont nombreux dans le bassin d'Arcachon.
Les enfants de l'école assistent à une représentation de marionnettes.
La grand-mère de Brice maniait habilement les aiguilles à tricoter.
Ce joueur d'échecs menace le roi de son adversaire.

2 ▶ Copiez ces groupes en plaçant les compléments du nom.

écrire – loin – chêne – dehors – italien – chacun – autrefois – chèvre –
tartiner – quelqu'un – copier – travers

le nom de …   un regard de …   une machine à …
un texte à …   une vue de …   le froid du …
des meubles d'…   un fromage à …   un message de …
des meubles en …   un fromage de …   un message en …

3 ▶ Complétez ces phrases avec les prépositions qui conviennent.

M. Ravaute passe une peinture … la rouille sur la barrière … fer.
Antonio consulte un livre … les mammouths.
Le pêcheur prend soin de sa canne … lancer.
Melinda a trouvé un emploi … la restauration.
Le plombier installe un pare-douche … une vitre transparente.
M. Fario a fait l'acquisition d'un équipement … la plongée.
La maison … de la rivière est en vente depuis un an.
La devanture … magasin présente des dizaines … chaussures.

4 ▶ Complétez ces phrases avec des compléments du nom de votre choix.

Les sabots … sont protégés par des fers.
Dans un angle … se trouve un petit guéridon … .
Des jonquilles poussent au bord … .
Les dents … sont vraiment impressionnantes.
Le cuisinier met quelques clous … dans le civet … .
À la sortie …, de nombreux taxis attendent les voyageurs.
Ce jeu … amuse petits et grands.
Les côtés … sont égaux et parallèles deux à deux.

RÉPONSES P. 118

▶ Le **groupe nominal** est un ensemble de mots organisés autour d'un nom principal (**nom-noyau**).

▶ Les déterminants, les adjectifs qualificatifs et les participes passés, épithètes ou attributs, quelle que soit leur place dans la phrase, s'**accordent en genre et en nombre avec le nom** (ou le pronom) auquel ils se rapportent.

▶ Dans un **groupe nominal**, il peut y avoir des mots qui ne s'accordent pas avec le nom : les adverbes et les compléments du nom.

Exemples

☞ Un groupe répète.

☞ Un petit groupe répète.

☞ Un petit groupe de musiciens répète.

☞ Un petit groupe de musiciens débutants répète.

☞ Un petit groupe de musiciens débutants, réunis dans un hangar, répète.

▶ Lorsque le groupe nominal est introduit par une préposition, c'est **un groupe nominal prépositionnel**.

Nous partirons **à** la tombée de la nuit.

Et pour en savoir plus...

Le **groupe nominal** peut remplir toutes les fonctions qui se rattachent au verbe : sujet, complément d'objet direct ou indirect, complément circonstanciel, complément d'agent.

Sujet : **Le vent du nord** souffle.

COD : Le vent du nord secoue **les arbres du parc**.

C. circonstanciel : Le vent du nord souffle **en violentes rafales**.

C. d'agent : Les arbres du parc sont secoués **par le vent du nord**.

Entraînement

1 ▶ **Copiez ces groupes nominaux en écrivant les noms en gras au pluriel.**

un **gardien** de phare patient

un minuscule **tube** de dentifrice

un énorme **jouet** en plastique

un **port** de plaisance bien aménagé

un merveilleux **coucher** de soleil

un excellent **sauteur** à la perche

la première **page** de ce livre

un **train** à grande vitesse

un **avion** à réaction bruyant

une **carte** postale de Roumanie

2 ▶ **Copiez ces phrases en remplaçant les noms en gras par ceux entre parenthèses.**

Nous avons dégusté de savoureuses **asperges** (champignons) à la crème.

Les **papiers** (carte grise) de la voiture se trouvent dans la boîte à gants.

M. Anciaux prend régulièrement ses petits **cachets** (pilules) contre la toux.

Ce coquet **pavillon** (villa) de deux étages est en vente depuis trois mois.

Saïd (Anne) est embarrassé : le **plan** (notice) de montage n'est pas détaillé.

3 ▶ **Copiez ces phrases en les complétant avec les noms qui conviennent ; faites attention aux accords.**

piste – aile – bidonville – corde – abricot – barque – batterie

(Originaire) d'Arménie, les … se sont **(adapté)** au climat de la Provence.

(Gêné) par ses … **(gigantesque)**, l'albatros peine à s'envoler.

La … de l'ordinateur est **(déchargé)** ; celui-ci doit être **(branché)**.

(Noyé) dans le brouillard, les … d'atterrissage sont **(impraticable)**.

(Silencieux) et **(invisible)**, la … des braconniers glisse sur l'étang.

(Surpeuplé), les … de la banlieue de Calcutta devront être **(évacué)**.

Trop **(tendu)**, les … de la guitare se sont **(cassé)**.

4 ▶ **Copiez ces phrases en complétant les noms par des adjectifs ou des compléments du nom de votre choix.**

Le cargo … n'émet que de … signaux … .

…, les étudiants posent de … questions … .

Les … plongeurs … ont découvert l'épave … .

Le … coffret … renferme une bague … et des colliers … .

…, l'arbre barrait la route … .

Les hommes … se nourrissaient de viande … et de fruits … .

Durant les … soirées …, les paysans réparaient leurs outils … .

RÉPONSES P. 119

▶ Les **pronoms démonstratifs** indiquent, dans un ensemble d'êtres ou de choses, celui ou ceux que l'on veut désigner plus précisément.

▶ La forme des **pronoms démonstratifs** varie selon le genre et le nombre des êtres ou des choses qu'ils représentent.

Exemples

		masculin	féminin	neutre
☞ **Formes simples**	**singulier**	celui	celle	ce
	pluriel	ceux	celles	
☞ **Formes composées**	**singulier**	celui-ci celui-là	celle-ci celle-là	ceci – cela – ça
	pluriel	ceux-ci ceux-là	celles-ci celles-là	

▶ **Les formes simples** sont toujours accompagnées d'un **complément déterminatif**.

Le maillot de Franck porte le numéro 10 ; celui de Martin le numéro 13.
L'émission d'aujourd'hui est moins longue que celle d'hier.

▶ Le pronom démonstratif renforcé par **-ci** marque le plus souvent la **proximité** ; renforcé par **-là**, il marque l'**éloignement**.

Les deux places ont été réservées ; **celle-ci** est au premier rang et **celle-là** au balcon.

Et pour en savoir plus...

On élide le pronom démonstratif **ce** devant toutes les formes du verbe **être** commençant par une voyelle, ainsi que devant le pronom personnel **en**.

C'est le printemps.   **C'était** un jour de fête.   **C'en** est fini de ce travail.

Le pronom démonstratif peut **remplacer un groupe nominal dont le déterminant est un déterminant démonstratif**.

Je choisis ces chaussures : **celles** qui sont en solde !
Ce GPS ne fonctionne plus ; **cela** m'ennuie beaucoup.

1 ▶ Complétez ces phrases avec le pronom démonstratif qui convient.

Cette avenue allonge le parcours alors que … est beaucoup plus directe.
… fait dix minutes que j'attends mon tour ; … n'est pas normal.
Ces taxis empruntent le couloir réservé ; … restent sur la chaussée.
Damien n'a que cent euros, mais … devrait suffire pour régler ses achats.
Le marché de Bellac se tient le lundi, … de Civray le mercredi.
Cet arrêt d'autobus est obligatoire ; … est facultatif.

2 ▶ Complétez ces phrases avec le pronom démonstratif qui convient.

Choisis entre la place qui se trouve près de l'entrée et … près de la sortie.
Les griffes du chat sont rétractiles, mais pas … du chien.
Vous joindrez vos efforts à … des pompiers pour éteindre ce feu.
J'hésite entre ces deux melons : … a l'air plus mûr que … .
Cette rivière-là coule paisiblement, alors que … roule des flots tumultueux.
Les tableaux de ce peintre contemporain sont réalistes alors que … de son élève sont abstraits.

3 ▶ Complétez ces phrases avec le pronom démonstratif qui convient.

Il y a un peu de vent, mais … ne perturbe pas le déroulement de la régate.
Cette valise pèse plus de dix kilos, alors que … est moins lourde.
Teddy a cru que ce reptile était une vipère, mais … n'était qu'une couleuvre.
Ces drapeaux ont des rayures ; … sont simplement unis.
Entre ces deux photographies, j'encadrerai … qui me représente de profil.
Ce hangar abrite deux planeurs et … trois bimoteurs.
… qui n'ont pas de billet ne pourront pas aller dans la salle de concerts.

4 ▶ Supprimez les répétitions en employant des pronoms démonstratifs.

Les immeubles du quartier des Églantines comptent douze étages, alors que **les immeubles** du quartier des Pervenches n'en ont que huit.
Le programme électoral de ce candidat est opposé **au programme électoral** de son concurrent.
Les feux tricolores de ce carrefour sont en panne, mais **les feux tricolores** du boulevard Murat fonctionnent.
Adeline adore les côtelettes de veau ; elle ne mange que **des côtelettes de veau** quand elle va à la cafétéria.

RÉPONSES P. 119 >

▶ Les **pronoms possessifs** indiquent, dans un ensemble d'êtres ou de choses, à qui appartient l'être ou la chose qu'ils représentent.

▶ La **forme des pronoms possessifs** varie selon le genre et le nombre du ou des possesseurs des êtres ou des choses qu'ils représentent.

Exemples

 Possesseur unique

objet possédé	1re personne	2e personne	3e personne
singulier	le mien la mienne	le tien la tienne	le sien la sienne
pluriel	les miens les miennes	les tiens les tiennes	les siens les siennes

 Plusieurs possesseurs

objet possédé	1re personne	2e personne	3e personne
singulier	le nôtre la nôtre	le vôtre la vôtre	le leur la leur
pluriel	les nôtres	les vôtres	les leurs

▶ Les pronoms possessifs des 1re et 2e personnes du pluriel prennent un **accent circonflexe** ; alors que les adjectifs possessifs n'en ont pas.

Notre appartement est petit ; **le vôtre** est plus grand.

▶ Précédé des prépositions **à** et **de**, le pronom possessif présente des **formes contractées** :
au sien – du tien
aux leurs – des vôtres

Et pour en savoir plus...

 Le pronom possessif peut **remplacer un groupe nominal dont le déterminant est un adjectif possessif**.

Gloria enfile son pull ; **le mien** est introuvable.

1 ▶ Complétez ces phrases avec le pronom possessif qui convient.

J'ai présenté mon billet au contrôleur alors que … est encore dans ta poche.
Laure a toujours son badge pour ouvrir la porte ; Lisette oublie parfois … .
Lors du départ, le conducteur ôte sa casquette ; le receveur remet … .
Nous enfermons nos chiens alors que nos voisins laissent … en liberté.
Je dois reconnaître que votre raquette est plus performante que … .
Donnez-moi l'adresse de votre coiffeur : … est en vacances.

2 ▶ Complétez ces phrases avec le pronom possessif qui convient.

Mon rendez-vous est fixé à huit heures ; … est à neuf heures.
Si sa tenue est un peu voyante, … est plus discrète : tu as meilleur goût !
Certains convives ont apprécié leur dessert ; d'autres n'ont pas touché … .
Tes parents sont opticiens ; … tiennent une librairie et je les aide parfois.
Mon portable prend des photos, mais … ne le peut pas ; tu vas le changer.
Ces jeunes portent leur chemise ouverte ; ceux-là portent … boutonnée.
Ta sœur vit à Paris ; … habite à Lyon et elle m'invite parfois.

3 ▶ Complétez ces phrases avec le pronom possessif qui convient.

Je prends mes vacances en juillet ; quand prenez-vous … ?
Les lièvres regagnent leur terrier ; les lapins font de même dans … .
Ma moto est bien assurée ; as-tu pensé à le faire pour … ?
Tes skis sont bien fartés, alors que … ne nous permettront pas de glisser.
J'ai égaré mes lunettes de soleil ; peux-tu me prêter … ?
Le parrain de Steven lui a offert un CD ; … m'a donné son chronomètre.

4 ▶ Supprimez les répétitions en employant des pronoms possessifs.

Zohra utilise son ordinateur portable, mais Déborah constate que **son ordinateur portable** est en panne.

J'écris mon adresse sur le formulaire d'inscription au tournoi de pétanque, mais il faut que tu y inscrives aussi **ton adresse**.

Votre objection ne modifie pas vos intentions, mais elle change **mes intentions**.

Abdel ne sucre pas sa tasse de café, alors que Manuel met deux morceaux dans **sa tasse de café**.

RÉPONSES P. 120

Les pronoms
indéfinis et interrogatifs

> ▶ Les **pronoms indéfinis** remplacent des groupes nomi-naux dont les déterminants pourraient être indéfinis.
>
> ▶ Les **pronoms interrogatifs** permettent de s'interroger sur des êtres ou des choses qui ont déjà été mentionnés ou qui le seront.

☞ **Principaux pronoms indéfinis**

Valeur nulle :	aucun – nul – pas un – rien – personne – ni l'un ni l'autre
Valeur unique :	l'un(e) – chacun(e) – quelqu'un(e)
Valeur semblable :	le même – tel(le) – un (une) autre – l'autre
Valeur totale :	tout – toute – tous – toutes
Valeur imprécise :	certains – divers – différents – peu de chose – plusieurs – quelques-un(e)s – autrui – n'importe qui – n'importe quoi

☞ **Principaux pronoms interrogatifs**

Formes simples :	que – qui – quoi – où
Formes composées :	lequel – laquelle – lesquel(le)s – auquel – desquel(le)s

> ▶ Les **pronoms indéfinis** de valeur nulle sont généralement suivis de la négation **ne**.
>
> **Personne ne** trouve la réponse.
> **Nul ne** sait où se trouve Hervé.

Et pour en savoir plus...

Certains **adverbes de quantité** (*beaucoup, peu, combien...*) peuvent être employés comme des **pronoms interrogatifs** ou **indéfinis**.

Combien ont réussi l'épreuve ?   **Peu** ont respecté les consignes.

1 ▶ **Complétez avec les pronoms indéfinis qui conviennent.**

la plupart – chacun – quelques-unes – aucune – personne – tout

Ces formules sont compliquées, mais tu en as retenu … .
De toutes vos explications, … ne les convainc.
Les enfants de la famille Garcia ont … leur chambre.
J'ai oublié une partie de mes affaires, mais je ne peux pas penser à … !
Les agriculteurs ont un métier difficile ; aussi … abandonnent-ils la terre.
Les participants de ce jeu télévisé restent muets : … n'a la réponse.

2 ▶ **Complétez avec les pronoms indéfinis qui conviennent.**

rien – nul – certains – pas un – quiconque – autrui

… présentera l'appareil dans son emballage d'origine sera remboursé.
… prétendent que les soucoupes volantes ont déjà survolé la Terre.
… n'est plus agréable que d'avoir des amis fidèles et sincères.
Ne faites pas à … ce que vous ne voulez pas qu'on vous fasse.
… ne résoudra jamais la quadrature du cercle.
Parmi tous ces modèles de téléviseurs, … ne séduit M. Gagnaire.

3 ▶ **Complétez avec les pronoms indéfinis qui conviennent.**

Il suffirait de … pour que cette maisonnette soit habitable.
Comme le directeur de l'usine est satisfait de ses ouvriers, il offre une prime de productivité à … .
Beaucoup de touristes pratiquent les sports nautiques, mais … préfèrent visiter les musées, surtout les jours de pluie !
Certains pays africains possèdent d'importantes ressources minières ; … connaissent des problèmes pour simplement nourrir leur population.

4 ▶ **Complétez avec les pronoms interrogatifs qui conviennent.**

… a obtenu la médaille d'or du tournoi de judo ?
… se trouve le point culminant de l'Afrique ?
De tous ces conteneurs, … recueille les bouteilles en plastique ?
Sur … faut-il monter pour changer l'ampoule du lustre ?
Parmi tous ces projets de voyage, … donneras-tu la préférence ?
… de ces deux cravates porterez-vous avec ce costume ?
… faire en cas d'inondations importantes ?

RÉPONSES P. 121

> ▶ Les **pronoms personnels** désignent des personnes ou des choses.

> ▶ Les **pronoms personnels sujets** indiquent qui parle, à qui l'on parle, de qui l'on parle.

> ▶ Les **pronoms personnels compléments du verbe** remplacent un nom ou un groupe nominal afin d'éviter une répétition.

Exemples

👉 **Pronoms personnels sujets**		👉 **Pronoms personnels compléments**
je marche	→ 1ʳᵉ pers. du sing.	← me – moi
tu marches	→ 2ᵉ pers. du sing.	← te – toi
il (on, elle) marche	→ 3ᵉ pers. du sing.	← se – soi – le – la – lui – elle – en – y
nous marchons	→ 1ʳᵉ pers. du plur.	← nous
vous marchez	→ 2ᵉ pers. du plur.	← vous
ils (elles) marchent	→ 3ᵉ pers. du plur.	← se – les – en – eux – leur – y

> ▶ Le **pronom personnel sujet** peut être placé après le verbe dans une phrase interrogative.

Avancez-**vous** ? Où demeures-**tu** ?

> ▶ Devant un mot commençant par une voyelle, *je, me, te, le, la* perdent le -*e* par élision.

j'avance   je **m'**éloigne
tu **t'**installes   je **l'**ai perdu

Et pour en savoir plus...

Dans un langage courant, le **pronom sujet nous** est très souvent remplacé par **On**.

On se prépare pour la fête.

1 ▶ **Complétez ces phrases avec le pronom personnel sujet qui convient.**

Dans de telles conditions météorologiques, … ne partirons pas.
Quand … planifie bien mon travail, … le termine toujours à temps.
Ce caméscope est pratique : … possède un disque dur.
… avez postulé pour un emploi de serveur dans un restaurant.
… lasses tes interlocuteurs, car … monopolises la parole.
Quand les poules ont pondu leurs œufs, … chantent.

2 ▶ **Complétez ces phrases avec le pronom personnel complément qui convient.**

Le patient … rend chez le médecin qui … remet une ordonnance.
Je … rends la perceuse que vous … aviez prêtée.
Les souris … multiplient rapidement ; on peine à … compter.
Comme la poulie grince, le mécanicien … graisse.
Si vous n'arrosez pas vos plantes, elles … faneront.
L'opéré … réveille lentement ; l'anesthésiste … humecte les lèvres.
Tu … fatigues et des crampes … paralysent les jambes.

3 ▶ **Copiez ces phrases en supprimant les répétitions à l'aide de pronoms personnels.**

Pour ranger vos livres, vous placez **vos livres** dans une bibliothèque vitrée.
Lorsque mon chat miaule, je donne **à mon chat** quelques croquettes.
La pelouse de M. Fort a bien poussé ; **M. Fort** doit tondre **sa pelouse**.
Ton cadeau de Noël est imposant ; anxieux, tu déballes **ton cadeau de Noël**.
Les douaniers demandent les passeports aux passagers ; **les passagers** présentent **leur passeport aux douaniers**.

4 ▶ **Copiez ces phrases et entourez les prénoms qui correspondent aux pronoms personnels en gras.**

« Qu'**elle** est belle ! », déclare Adeline en regardant Jeanne.
« **Nous** arrivons dans une minute », annoncent Teddy et Mohamed.
« Connais-**tu** la réponse ? », demande Justin à Erwan.
« **Il** arrivera trop tard », dit Farid en voyant courir Colin.
« Qu'**ils** sont aimables Renaud et Étienne ! », pense Maxence.
Julie et Alexandre sont contents : Gaëlle **leur** a offert un cadeau.
Robin interroge Jason et Bastien : « Avez-**vous** pensé à fermer la porte ? »
« **Je** ne connais pas la capitale du Honduras », avoue Nadia à Leslie.

RÉPONSES P. 122

▶ Le **verbe** est l'élément essentiel de la phrase. Il permet à celui qui parle ou qui écrit d'exprimer l'action faite ou subie par le sujet, l'existence ou l'état du sujet.

▶ Un **verbe à l'infinitif** se compose de deux parties : le radical et la terminaison.

▶ Pour faciliter la mémorisation des terminaisons, on classe les verbes en **trois groupes**.

Exemples

☞ **Verbes du 1er groupe** → tous les verbes en *-er* (sauf *aller*)

☞ **Verbes du 2e groupe** → les verbes en *-ir* terminés en *-issant* au participe présent

☞ **Verbes du 3e groupe** → tous les autres verbes

▶ La **terminaison** des verbes varie selon le moment de l'action : le temps.
Le passé : elle partait
Le présent : elle part
Le futur : elle partira

▶ La **terminaison** des verbes varie selon la personne qui fait ou subit l'action.
Singulier : trois personnes
je – tu – il / elle / on / un nom
Pluriel : trois personnes
nous – vous – ils / elles / un nom

Et pour en savoir plus...

 La forme du **radical** de certains verbes peut être **différente** selon les temps.

aller → j'**irai**   vouloir → je **veux**

 Les **verbes transitifs** expriment une action du sujet. Ils ont, le plus souvent, un complément d'objet.

Elle **mange** beaucoup de légumes et **boit** de l'eau.

Les **verbes intransitifs** expriment une action limitée au sujet. Ils n'ont jamais de complément d'objet.

Il **court** vite.   Nous **voyageons** souvent.

 Entrainement

---

1 ▶ **Classez ces verbes à l'infinitif en trois groupes.**

croire	atterrir	bondir	sourire
confondre	moudre	avancer	rougir
occuper	pédaler	venir	danser
chausser	frémir	surprendre	chercher

2 ▶ **Copiez ces phrases et indiquez le temps (passé – présent – futur) entre parenthèses.**

Les moissons réunissaient tous les habitants du village.

M. Blanchard ne se couche jamais sans lire un moment.

En l'an 3000, les hommes s'installeront peut-être sur la Lune.

Au XVe siècle, Gutenberg inventa l'imprimerie.

Après réflexion, Gwenaëlle finira bien par se décider.

Le traîneau est tiré par six chiens esquimaux.

3 ▶ **Complétez ces phrases avec les expressions suivantes.**

Demain – Actuellement – L'été dernier – Ce matin – Dimanche prochain – À l'avenir – Hier – En ce moment – Autrefois

…, Carlos est allé en vacances au Portugal.

…, le Club du cèdre organisera un concours de belote.

…, l'oncle de Thomas élève des moutons en Provence.

…, avait lieu une compétition de tennis.

…, nous irons à la piscine.

…, le voyage de Paris à Lyon durait cinq jours.

…, les robots travailleront à la place de l'homme.

…, la zone désertique progresse en Afrique.

…, je déjeune très rapidement.

4 ▶ **Copiez ces phrases et indiquez si les mots en gras sont des noms ou des verbes.**

Les oiseaux **couvent** leurs œufs dans leur nid.

Au Moyen Âge, les moines vivaient dans un **couvent**.

L'éléphant utilise sa **trompe** pour déplacer les troncs.

Lorsqu'il répond, Dimitri ne se **trompe** pas souvent.

Prendras-tu une **part** de tarte aux abricots ?

Grégory **part** sans oublier de nous laisser son adresse.

RÉPONSES P. 122

Les verbes pronominaux
et impersonnels

▶ Les **verbes pronominaux** sont accompagnés d'un pronom personnel représentant le même être ou la même chose que le sujet.

Le pronom personnel est de la même personne que le sujet.

▶ Les **verbes impersonnels** ne s'emploient qu'à la 3e personne du singulier lorsqu'il n'y a aucune relation entre le sujet (généralement *il*) et le verbe.

☞ Le vent <u>se lève</u> en fin d'après-midi ; il <u>pleuvra</u> peut-être.
    verbe pronominal   verbe impersonnel

▶ Le **verbe pronominal** réfléchi exprime une action que le sujet fait sur lui-même.

Je me blesse.
Tu t'entraînes.
Elle se lave.

▶ Le **verbe pronominal** réciproque exprime une action exercée par plusieurs sujets, l'un sur l'autre ou les uns sur les autres.

Nous nous cherchons.
Ils se battent.

Et pour en savoir plus...

 À l'**impératif**, le pronom personnel est placé **après** le verbe.
Arrête-**toi**.   Taisez-**vous**.

 Certains verbes sont **toujours construits** avec un pronom personnel réfléchi.

s'évanouir – s'emparer – s'évader – s'enfuir – s'absenter

 Aux **temps composés**, tous les verbes pronominaux se conjuguent avec l'auxiliaire **être** (voir p. 96).

1 ▶ **Copiez ces phrases et écrivez les verbes entre parenthèses au présent de l'indicatif.**

Les curieux *(se presser)* devant l'étalage du brocanteur.

Quand il fait trop chaud, je *(se réfugier)* dans la pièce climatisée.

Tu *(se méfier)* des promesses trop alléchantes pour être vraies.

Pour changer la roue, vous *(se servir)* d'un cric et d'une manivelle.

Nous *(se plaindre)* du bruit que font les trains qui *(se succéder)*.

Les personnes âgées *(se souvenir)* avec nostalgie de leur jeunesse.

2 ▶ **Copiez ces phrases et écrivez les verbes entre parenthèses au passé composé de l'indicatif.**

Lorsque le maire *(être)* élu, les conseillers *(s'empresser)* de le féliciter.

Après avoir bu une bonne tisane, tu *(s'endormir)*.

Vous deviez aller en Italie, mais vous *(se désister)* au dernier moment.

Le trop-plein de l'étang *(s'écouler)* dans les prairies environnantes.

Le film était trop long et peu intéressant ; nous *(s'ennuyer)*.

Après l'explosion, une épaisse fumée *(s'échapper)* du cratère.

Tu *(essayer)* de traduire ce texte, mais tu *(s'apercevoir)* qu'il était illisible.

3 ▶ **Copiez ces phrases et écrivez les verbes entre parenthèses au présent de l'indicatif.**

Il me *(prendre)* parfois l'envie de m'isoler pour lire ou rêver.

Il *(convenir)* que les cyclistes *(emprunter)* les couloirs réservés.

Il *(être)* des propos qu'il *(valoir)* mieux ne jamais prononcer.

Il *(faire)* bon vivre dans cette région au climat tempéré.

Tous les matins, il *(sortir)* plus de cinquante autobus de ce dépôt.

À l'issue des débats, il *(revenir)* aux jurés de prononcer leur verdict.

4 ▶ **Copiez ces phrases et encadrez les verbes à la forme pronominale.**

Lucie m'a présenté le petit chaton auquel elle s'est attachée.

Peu d'électeurs se sont abstenus ; la participation a été massive.

Lorsqu'il me rencontre, Aurélien me donne de ses nouvelles.

Comme nous ne pouvions pas aller au concert, vous nous avez remplacés.

Les vaches et leurs veaux se rafraîchissent à l'abreuvoir.

Le gendarme enquête ; le témoin lui détaille ce qu'il a aperçu.

Tous les appareils électroniques se commandent désormais à distance.

Vous vous mobilisez pour une cause humanitaire.

RÉPONSES P. 123

> ▶ Le **sujet** représente l'être ou la chose qui parle ou dont on parle.

> ▶ Pour trouver le **sujet** du verbe, il suffit de poser la question *Qui est-ce qui ?* (ou *Qu'est-ce qui ?*) devant le verbe.

Exemples

☞ **Nous** réfléchissons avant de répondre.
Qui est-ce qui réfléchit ? → *nous* → 1re personne du pluriel

☞ **Les glaçons** rafraîchissent le verre de grenadine.
Qu'est-ce qui rafraîchit le verre ? → *les glaçons* → 3e personne du pluriel

---

▶ Le **sujet du verbe** peut être placé après le verbe.

Devant la barrière de péage s'alignent **les voitures**.
Attends-**tu** le feu vert ?

▶ Un verbe peut avoir **plusieurs sujets** et **un même sujet** peut entraîner l'accord de plusieurs verbes.

La voiture et le camion s'arrêtent.
Le conducteur freine et s'arrête.

Et pour en savoir plus...

🔆 Peuvent occuper **la fonction de sujet** :
– un nom (ou un groupe nominal) :
Les acteurs expérimentés surmontent leur trac.
– un verbe à l'infinitif : **Respirer** permet de surmonter son trac.
– un adverbe : **Beaucoup** ne surmontent pas leur trac.
– un pronom : **Certains** surmontent fort bien leur trac.
– une proposition subordonnée : **Que Paolo ait notre soutien** lui permettra de surmonter son trac.

🔆 Dans une phrase interrogative, le **sujet** peut être repris par un pronom personnel.
Les acteurs surmontent-**ils** leur trac ?

Dans une phrase à l'impératif, le **sujet** n'est pas exprimé.
Surmonte ton trac.   Respirez calmement.

Entraînement

1 ▌ Copiez ces phrases en mettant les verbes entre parenthèses au présent de l'indicatif.

Pourquoi les tortues de mer *(pondre)*-elles sur les plages de sable ?
Une haie de peupliers récemment plantés *(border)* la rivière.
Assis à la terrasse du café, tu *(déguster)* un chocolat chaud.
Personne ne *(savoir)* qui était réellement le Masque de fer.
Lorsque *(venir)* l'hiver, où les marmottes *(se réfugier)*-elles ?
L'usage des calculatrices *(faciliter)* la résolution des problèmes.
La puissance des chutes du Niagara *(surprendre)* ceux qui s'en *(approcher)*.

2 ▌ Copiez ces phrases en remplaçant les mots en gras par ceux entre parenthèses et accordez.

Les personnes réfléchies (Tu) n'agissent qu'avec prudence.
En prévision de la tempête, *la population* (les gens) se barricade chez elle.
Le parasol (Les rideaux) atténue les ardeurs du soleil.
Les timides (Vous) sursautent dès qu'**on** (nous) leur adresse la parole.
Le document (Les fiches) que **vous** (je) plastifiez se conservera mieux.
Ces nuages (Le vent violent) ne présagent rien de bon ; il va pleuvoir.

3 ▌ Copiez ces phrases en mettant les verbes entre parenthèses au présent de l'indicatif.

Les techniciens de la compagnie d'électricité *(réparer)* les lignes.
Les ministres que *(réunir)* le président *(arriver)* au palais de l'Élysée.
Pourquoi *(noircir)*-vous la situation de votre installation ?
Les ennuis que *(connaître)* M. Garnier ne *(devoir)* pas durer.
Transmettre les ordres *(relever)* de la responsabilité des sous-officiers.
Quand il *(falloir)* secourir les naufragés, les remorqueurs *(prendre)* la mer.
La mer et le ciel bleu *(attirer)* les touristes sur la Costa Brava.
Les robinets que *(poser)* le plombier *(être)* en acier inoxydable.

4 ▌ Copiez ce texte en mettant les verbes à l'imparfait de l'indicatif.

L'atelier du potier *(se trouver)* à la sortie du village où *(habiter)* mes grands-parents chez lesquels je *(passer)* toutes mes vacances. Mon ami Bertrand et moi *(aller)* souvent rendre visite à M. Valin et nous le *(regarder)* pendant qu'il *(pétrir)* les boules d'argile. Les vases et les plats *(prendre)* rapidement forme entre ses doigts magiques qui *(caresser)* la terre. Je l'*(admirer)* tant que, plus tard, je *(vouloir)* devenir potier.

RÉPONSES P. 124

25 Les adverbes —

Les locutions adverbiales

▶ Les **adverbes** sont des **mots invariables** qui modifient le sens d'un verbe, d'un adjectif ou d'un autre adverbe.

▶ Les **locutions adverbiales** sont des groupes de mots équivalant à des adverbes.

▶ Certains **adjectifs qualificatifs** sont employés comme des adverbes ; ils sont alors invariables.

 Exemples

☞ Aurélien aide **volontiers** ses amis. Aurélien aide **de temps en temps** ses amis.
☞ Ce café est **très** chaud. Ce café est **à peine** chaud.
☞ Les véhicules s'arrêtent **net**. Les voitures s'arrêtent **net**.

▶ Beaucoup **d'adverbes** sont formés à partir d'un adjectif qualificatif au féminin ; ils se terminent par **-ment**.

adroit → adroite → <u>adroite**ment**</u>
vif → vive → <u>vive**ment**</u>

▶ Quelques-uns sont néanmoins **formés sur l'adjectif masculin**.

absolu → <u>absolu**ment**</u>
vrai → <u>vrai**ment**</u>
poli → <u>poli**ment**</u>

Et pour en savoir plus...

 Les adverbes formés à partir d'adjectifs terminés par **-ent** s'écrivent **-emment**.

violent → viol**emment**   différent → différ**emment**

Les adverbes formés à partir d'adjectifs terminés par **-ant** s'écrivent **-amment**.

vaillant → vaill**amment**   indépendant → indépend**amment**

Mais ils se prononcent tous de la même manière : [amã].

1 ▶ **Complétez ces phrases avec les adverbes suivants.**

davantage – ici – partout – d'accord – autant – maintenant – trop – autrefois

En ville, des distributeurs de billets, on en trouve … .

…, on voyageait en diligence ; …, on prend l'avion ou le TGV.

D'… à la station de métro, il y a trois cents mètres.

Personne n'est …, il faudra reprendre la discussion.

Avec cet appareil numérique, on peut prendre … de photos que l'on veut.

Il y a … de bruit ; je ne resterai pas … dans cette salle.

2 ▶ **Copiez ces phrases en remplaçant les adverbes en gras par leur contraire.**

Vous trouverez ***ailleurs*** ce que vous cherchez depuis des heures.

Le jeu et les distractions passent ***avant*** le travail.

La scierie s'installe ***loin*** des forêts du Jura.

Dans ce plat, il y a ***peu*** d'épices et le goût en est dénaturé.

Le pêcheur a de l'eau ***au-dessous*** des genoux, mais il a des cuissardes.

Les véhicules stationnent ***devant*** la gare routière.

3 ▶ **Copiez ces phrases en remplaçant les mots en gras par un adverbe terminé par -ment.**

Le président de la République s'avance ***avec dignité*** vers la tribune.

À la fin des soldes, le rayon des chaussures est ***en totalité*** vide.

Avec courage, M. Karl lutte contre une terrible maladie.

Le savant parle ***avec précision*** de sa dernière découverte.

Sur les routes enneigées, il faut conduire ***avec prudence***.

Pourquoi répondez-vous ***en restant dans le vague*** ?

4 ▶ **Complétez ces phrases avec un adverbe formé à partir de l'adjectif en gras.**

Les Italiens se sont ***(brillant)*** qualifiés pour la finale de la Coupe du monde.

Tu n'as que ***(partiel)*** achevé la rédaction de ce courriel.

Maud sait ***(pertinent)*** que nous ne pouvons la croire.

Comme Pascal ne s'est pas réveillé, il sera ***(évident)*** en retard.

C'est ***(impatient)*** que les supporters attendent leur équipe.

M. Bianco parle ***(courant)*** cinq langues ; c'est extraordinaire.

Comment veux-tu que je travaille car je suis ***(constant)*** dérangé ?

Romain se connecte ***(fréquent)*** sur Internet pour consulter sa messagerie.

RÉPONSES P. 125

> ▶ Les **prépositions** sont des mots invariables qui introduisent des mots (ou des groupes de mots) ayant la fonction de compléments.
>
> ▶ Les **prépositions** sont des mots simples ou des locutions prépositives.

☞ Les cartes bancaires fonctionnent **avec** des puces.

☞ Le matin, il ne faut pas sortir **sans** déjeuner.

☞ Tu m'accompagnes **jusqu'à** l'entrée de la clinique.

☞ L'avocat est intervenu **en faveur de** l'accusé.

▶ Certains **participes présents** et **passés** peuvent être employés comme des **prépositions** : *attendu que ; y compris ; vu ; excepté ; durant ; concernant ; étant donné*…

Vu les conditions météorologiques, nous ne partirons pas.
Il a plu **durant** trois jours.

▶ Certains **verbes** se construisent indifféremment avec *à* ou *de* devant un infinitif complément.

Le bois continue **à** brûler.
Le bois continue **de** brûler.

▶ D'autres verbes marquent un sens différent selon la préposition.

Norbert parle **à** ses amis.
Norbert parle **de** ses amis.

Et pour en savoir plus...

Le mot (ou groupe de mots) introduit par une **préposition** peut être :

– un nom ou un groupe nominal : Ketty se maquille **devant** <u>son miroir</u>.

– un pronom : Je compte **sur** <u>toi</u>.

– un verbe à l'infinitif : Je compte sur toi **pour** <u>répondre</u>.

– un adverbe : On sortira **par** <u>là</u>.

1 ▶ **Complétez ces phrases avec les prépositions suivantes.**

pour cause – à – depuis – dans – autour – à force – pour – à – au-delà

Les électriciens ont agi avec prudence … réinstaller les fils tombés … terre.

La quincaillerie est fermée … d'inventaire.

… de persévérance, les plongeurs ont pu remonter l'épave de ce galion.

Les champs de tournesols s'étendent … de la colline.

Romuald est inscrit sur les listes électorales … l'âge de dix-huit ans.

Iouri Gagarine fut le premier homme … avoir tourné … de la Terre.

Ces skieurs imprudents se sont aventurés … un couloir d'avalanche.

2 ▶ **Les prépositions en gras sont incorrectes ; remplacez-les par celles qui conviennent.**

Comme il souffre d'une molaire, M. Sapin se rend **au** dentiste.

Vous pouvez entrer : la clé est **après** la serrure.

Les cow-boys savent monter **au** cheval en toutes circonstances.

Le maire inaugurera le gymnase ; M. Fournel l'a lu **sur** le journal.

Les journalistes se sont assis **dans** les chaises mises **durant** leur disposition.

Depuis qu'il travaille comme éclairagiste, M. Amiot habite **sur** Paris.

Étourdi, Gabriel a oublié l'adresse **à** son cousin.

Martha se coiffe **de** son peigne.

3 ▶ **Complétez ces phrases avec les prépositions qui conviennent.**

Deux fois … mois, un marché aux bestiaux se tient … la place de Louhans.

… son service militaire, M. Vanucci a beaucoup voyagé : il était marin.

La marmotte dort … l'hiver au fond de son terrier.

… erreur de la part du journaliste, le lieu de l'accident se situe à Roanne.

Ce cuisinier est capable de préparer la poularde … Georges Blanc.

Le bureau de poste se trouve … une boulangerie et une pharmacie.

4 ▶ **Complétez ces phrases avec les prépositions qui conviennent.**

En me faisant cette proposition, je suis certain que tu as une idée … la tête.

Une superbe pendule Louis XV se trouve … le manteau de la cheminée.

Au supermarché, les enfants se dirigent … le rayon des jouets.

La diffusion du film aura bien lieu … l'horaire prévu.

Le couvreur appuie son échelle … le mur.

… le vent contraire, les cyclistes roulent à vive allure.

RÉPONSES P. 125

27 Le complément d'objet direct

▶ Le **complément d'objet direct** (COD) représente l'être, la chose, l'idée, l'intention sur lesquels porte l'action exprimée par le verbe.

▶ Le COD se rattache directement au verbe, sans préposition. Pour trouver le COD, on peut poser la question *Qui ?* ou *Quoi ?* après le verbe.

▶ Un verbe qui admet un COD est un **verbe transitif.** (Voir p. 48)

☞ Pauline cherche **un renseignement** sur Internet.

Pauline cherche **quoi** ? → *un renseignement* → COD

▶ En général, le COD ne peut pas être supprimé sans dénaturer le sens de la phrase.

Lucie pratique **la natation**.

▶ Mais certains **verbes transitifs** peuvent être employés **sans COD**.

Ils mangent.   Léonard pêche.

▶ Le COD est toujours **placé après le verbe**, sauf s'il est repris par un pronom ou dans une phrase interrogative.

Je coupe **la tarte**.
Cette tarte, je **la** coupe.
Que coupes-tu ?

Et pour en savoir plus...

 Le COD peut être : un nom ou un groupe nominal, un pronom (personnel, démonstratif, possessif, indéfini, interrogatif, relatif), un verbe à l'infinitif, une proposition subordonnée.

Pour ne pas confondre le COD et l'**attribut du sujet**, il faut se souvenir que **le sujet** et le **COD** évoquent des **éléments distincts**.

1 ▶ Copiez ces phrases, encadrez les COD et donnez leur nature entre parenthèses.

Samuel écrit une longue lettre à ses amis du Québec.

Les physiciens installent un laboratoire d'observation en terre Adélie.

Quand je défricherai ce terrain, j'éviterai les vipères.

Tu as perdu tes clés, mais tu les retrouves rapidement.

Quand vous chercherez du travail, vous enverrez des lettres de motivation.

Le sorcier affirme que les esprits reviendront sur Terre.

M. Bertrand devrait réfléchir avant de répondre trop vite.

2 ▶ Complétez ces phrases avec des COD de votre choix.

Le moniteur donne … aux skieurs débutants.

Mandy retourne … pour vérifier sa cuisson.

Je repose délicatement … sur le bord de la commode.

Le gardien de l'immeuble connaît … .

Très souvent, les inventeurs présentent … au concours Lépine.

Cette publicité vante … sur de nombreuses affiches.

Djamel éteint … et sort de la pièce.

3 ▶ Copiez ces phrases et encadrez les pronoms personnels COD.

Les obstacles, le cavalier les franchit avec une aisance stupéfiante.

Le logiciel, je l'ouvre avec beaucoup de difficulté.

La glace à la vanille, je la préfère avec un peu de crème chantilly.

Le château d'If, on le visite en prenant un petit bateau.

Au printemps, le jardinier sort ses pots de géraniums et il les arrose.

J'ai adoré le dernier film de Spielberg ; l'as-tu vu ?

4 ▶ Remplacez les pronoms personnels COD par des groupes nominaux.

Paul l'attend patiemment. → Paul attend patiemment l'autobus n° 45.

Tu *la* glisses dans la boîte aux lettres.

Le chef d'orchestre *les* dirige énergiquement.

L'employé de la mairie *le* remplit avec attention.

Nous *l'*utilisons pour tracer un cercle.

M. Julien *en* porte pour lire de près.

Je *les* aime au sucre ou à la confiture.

Patricia *les* collectionne depuis deux ans.

Vous *les* chaussez pour dévaler les pistes.

RÉPONSES P. 126

28 Le complément d'objet indirect

▶ Le **complément d'objet indirect** (COI) représente l'être, la chose, l'idée, l'intention vers lesquels se dirige l'action exprimée par le verbe.

▶ Le **COI** se rattache au verbe par une préposition (*à, aux* ou *de*), sauf s'il s'agit d'un pronom.

Pour trouver le **COI**, on pose généralement la question *À qui ?*, *De qui ?*, *À quoi ?* ou *De quoi ?* après le verbe.

☞ Ce jardinier s'intéresse **aux roses**.

Ce jardinier s'intéresse **à quoi** ? → *aux roses* → COI

☞ Ce jardinier se soucie **de ses roses**.

Ce jardinier se soucie **de quoi** ? → *de ses roses* → COI

▶ Il ne faut pas confondre le **COI**, précédé d'une préposition, avec le **COD**, précédé d'un article partitif *(du, de la, de l')*.

Il mange **de la viande**. → COD
Il souffre **de l'estomac**. → COI

▶ En général, le **COI** ne peut pas être **supprimé** sans changer le sens de la phrase.

Benoît s'attend **à recevoir un SMS**.

▶ Mais certains **verbes transitifs** peuvent être employés sans **COI**.

Il joue **du violon**.   Il joue.

Et pour en savoir plus...

Le **COI** peut être : un nom ou un groupe nominal, un pronom (personnel, démonstratif, possessif, indéfini, interrogatif, relatif), un infinitif (ou un groupe verbal à l'infinitif) ou une proposition subordonnée.

1 ▶ Copiez ces phrases, encadrez les COI et donnez leur nature entre parenthèses.

Comme l'ampoule est grillée, il s'agit de la remplacer.

Le conférencier s'adresse à chacun.

Quand elle était plus jeune, Sophie s'est occupée de sa petite sœur.

Le roi Louis XV a succédé à son arrière-grand-père.

Si tu veux peindre cette porte, je te conseille de prendre un pinceau fin.

Le concert débute par un morceau entraînant.

La famille Legrand se doutait qu'elle partirait s'installer à Poitiers.

2 ▶ Complétez ces phrases avec des COI de votre choix.

Cet ancien rugbyman se souvient … .

La fumée de cigare nuit … .

Les concurrents en petite forme ne participeront pas … .

Est-ce que vous croyez encore … ?

Le prix est trop élevé ; Martial renonce … .

Cette immense propriété appartient … .

Le pharmacien insiste … .

3 ▶ Copiez ces phrases et encadrez les pronoms personnels COI.

Lucas n'a pas vu ses cousins depuis longtemps ; il leur écrit.

Certains adorent les chats de race, mais Fanny ne pense qu'au sien.

La retraite approche ; M. Calmat y songe désormais tous les jours.

Anna essaie un pantalon à taille basse ; il lui plaît immédiatement.

Marie part en Bretagne ; elle te propose de l'accompagner.

Sarah est ma meilleure amie ; je me confie à elle.

4 ▶ Copiez ces phrases en utilisant des pronoms personnels COI pour supprimer les répétitions.

Ils préparent leur voyage ; ils songent à leur voyage depuis des mois.
→ Ils préparent leur voyage ; ils y songent depuis des mois.

L'examinateur pose une question ; Rebecca répond à l'examinateur.

Victor a mal au ventre ; il souffre du ventre depuis trois jours.

Ces histoires sont invraisemblables ; personne ne croit à ces histoires.

Max est en colère contre son ami Paul ; il ne pardonne pas à son ami Paul.

Le train entre en gare ; les voyageurs descendent du train.

Les officiers donnent des ordres ; les soldats obéissent aux officiers.

RÉPONSES P. 127

▶ Lorsque le verbe se construit avec un COD et un COI, le COI est appelé **complément d'attribution** ou **complément d'objet second** (COS).

▶ Lorsque le verbe se construit avec **deux COI**, celui introduit par *de* est appelé COI et celui introduit par *à* (*au – aux*) **complément d'attribution**.

Exemples

☞ Marc distribue **les cartes (COD) à ses partenaires (C. d'attribution)**.

☞ Marc s'occupe **de la distribution des cartes (COI) à ses partenaires** (C. d'attribution).

▶ Le **COS** est normalement placé après le COD ou le COI, sauf si le **COS** est plus court que le COD.

On écrira : Le cuisinier révèle ses secrets **aux apprentis**.

Mais : Le cuisinier révèle **aux apprentis** les secrets de ses plats.

▶ Le **complément d'attribution** est parfois introduit par la préposition *pour*.

Le cuisinier prépare un repas **pour les convives**.

---

*E*t pour en savoir plus...

Le **complément d'attribution** est généralement un **nom** (ou un groupe nominal), mais ce peut être un **pronom**.

Beaucoup d'admirateurs ont écrit à l'actrice ; elle a écrit un mot à **chacun**. Comme ce livre plaît à Stéphane, je le **lui** offre.

(Dans ce dernier cas, il n'est pas introduit par une préposition.)

Certains grammairiens établissent une subtile nuance entre le complément d'attribution et le complément d'objet second. Il ne nous paraît pas utile, dans le présent ouvrage, de distinguer ces deux fonctions.

1 ▶ **Copiez ces phrases et encadrez les compléments d'attribution.**

Lors des soldes, cette boutique offre des réductions à ses meilleurs clients.

En janvier, nous adressons nos vœux à nos amis.

Le grand-père raconte une histoire à ses petits-enfants.

Le facteur distribue le courrier aux locataires de l'immeuble.

La cartomancienne ne prédit l'avenir qu'aux personnes crédules.

Le médecin interdit au malade de consommer des matières grasses.

2 ▶ **Complétez ces phrases avec les compléments d'attribution suivants.**

à cette actrice – aux spéléologues – à sa centaine de porcs – à ses invités – à tout le monde – aux spectateurs – à de nombreux foyers

Surtout ne confie pas ce secret … : cela doit rester entre nous.

Cette éolienne fournit de l'électricité … .

L'éleveur apporte de la nourriture … .

Le metteur en scène reconnaît du talent … .

La maîtresse de maison sert une dinde aux marrons … .

L'ouvreuse du théâtre indique leur place … .

Cette galerie ménage un étroit passage … .

3 ▶ **Complétez avec des compléments d'attribution de votre choix.**

L'infirmière effectue une prise de sang … .

L'arbitre distribue un carton jaune … .

La caissière rend la monnaie … .

Béatrice murmure un conseil … .

La nourrice chante une berceuse … .

Le plâtrier présente la facture … .

4 ▶ **Copiez ces phrases en utilisant des pronoms personnels pour supprimer les répétitions ; encadrez les compléments d'attribution.**

Le président s'adresse aux Français ; il présente aux Français ses projets.

L'élève écoute son professeur de violon qui donne des conseils à l'élève.

Le chauffard roulait trop vite ; le gendarme retire son permis au chauffard.

M. Revol part en vacances ; un fermier loue une maison à M. Revol.

Comme l'avant-centre est démarqué, Rémi passe le ballon à l'avant-centre.

Les chiens sont obéissants quand leur maître donne un ordre aux chiens.

RÉPONSES P. 128

de lieu et de temps

> ▶ Le **complément circonstanciel de lieu** (CCL) permet de situer dans l'espace l'action ou le fait exprimés par le verbe. Pour trouver le **CCL**, on peut poser la question *Où ?*.
>
> ▶ Le **complément circonstanciel de temps** (CCT) permet de situer dans le temps l'action ou le fait exprimés par le verbe. Pour trouver le **CCT**, on peut poser les questions *Quand ?* ou *Combien de temps ?*.
>
> ▶ En général, les **CCL** et **CCT** peuvent être supprimés ou déplacés sans modifier le sens de la phrase.

☞ Des chariots sont alignés **devant le supermarché**.

Où les chariots sont-ils alignés ? → *devant le supermarché* → CCL

☞ Le supermarché ferme ses portes **à vingt heures**.

Quand le supermarché ferme-t-il ses portes ? → *à vingt heures* → CCT

▶ Le **CCL** permet d'exprimer :

– le lieu où l'on est ;
Je déjeune **au restaurant**.

– le lieu où l'on va ;
L'avion s'envole **pour New York**.

– le lieu d'où l'on vient ;
Elles reviennent **de Chine**.

– le lieu où l'on passe.
Tu marches **sur le trottoir**.

▶ Le **CCT** permet d'exprimer :

– une date ;
Le 14 Juillet, on tire un feu d'artifice.

– une durée ;
Pendant les vacances, elle part.

– une fréquence.
Ce journal paraît **tous les matins**.

 *Et pour en savoir plus...*

 Un même verbe peut avoir **plusieurs compléments circonstanciels**.
Chaque dimanche matin (CCT), Hervé se rend à **la piscine** (CCL).

1 ▶ Copiez ces phrases et encadrez les CCT.

Napoléon Ier est né en 1769 dans une riche famille corse.
Dans un instant, le feu passera au vert et nous démarrerons.
On dit que, à minuit, les fantômes hantent les couloirs du château.
Autrefois, les moines recopiaient les livres à la main.
Le 1er mai, c'est la fête du Travail et on offre du muguet à ses amis.
L'ouragan atteindra les côtes de Floride dans trois jours.
Après le dépouillement des bulletins, l'élection de M. Gray est confirmée.

2 ▶ Copiez ces phrases et encadrez les CCL.

M. Nubert passe toutes ses soirées dans son jardin ; il adore ça.
Au tribunal, l'avocat plaide l'innocence de l'accusé.
Les légumes les plus divers sont exposés sur les étalages des maraîchers.
À Versailles, Louis XIV donnait des fêtes dans la galerie des Glaces.
Six personnes attendent devant le distributeur de billets.
L'ambulance et la dépanneuse circulent sur la bande d'arrêt d'urgence.
Il faut placer les produits laitiers au réfrigérateur.

3 ▶ Copiez ces phrases en déplaçant les compléments circonstanciels.

Du troisième étage de la tour Eiffel, on aperçoit tout Paris.
On a réintroduit des ours dans les Pyrénées.
Avant de composer le numéro, Martine consulte son répertoire.
Quand elles s'égarent, le chien de berger rassemble les brebis.
Karim Sadri a marqué le but de la victoire à la dernière minute.
Fin juin, les habitants du quartier participent à la fête de la Musique.
D'immenses affiches annoncent la venue d'un cirque à Vesoul.

4 ▶ Complétez avec des CCL ou des CCT de votre choix.

Le cargo en provenance de Singapour arrive .... .
Nelly surmontera sa peur ... .
Pendant l'orage, les randonneurs se sont réfugiés ... .
..., M. Garcia renouvelle son abonnement au magazine *Pasta*.
Pierrick a osé, ..., sauter en parachute.
Les amateurs d'une troupe de théâtre se produisent ... .
Les distributeurs de journaux gratuits s'installent ... .

RÉPONSES P. 129

Les compléments circonstanciels
de manière et de cause

▶ Le **complément circonstanciel de manière** (CC de manière) indique de quelle manière se déroule l'action exprimée par le verbe.
Pour trouver le **CC de manière**, on peut poser la question **Comment ?** après le verbe.

▶ Le **complément circonstanciel de cause** (CC de cause) indique la raison pour laquelle se déroule l'action exprimée par le verbe.
Pour trouver le **CC de cause**, on peut poser la question **Pourquoi ?**.

☞ Il joue **très bien** du violon.

Il joue du violon **comment** ? → *très bien* → CC de manière

☞ Il joue du violon **pour son plaisir personnel**.

Pourquoi joue-t-il du violon ? → *pour son plaisir personnel* → CC de cause

▶ Les **CC de manière** peuvent être : un groupe nominal, un adverbe ou un gérondif.

▶ Les **CC de cause** peuvent être : un groupe nominal, un groupe pronominal, un verbe à l'infinitif ou une proposition subordonnée conjonctive.

Et pour en savoir plus...

Il ne faut pas confondre le **CC de manière** avec l'**adjectif qualificatif attribut du sujet**.

Les coureurs sont **immobiles**. → attribut du sujet

Les coureurs sont **en attente du départ**. → CC de manière

1 ▶ Copiez ces phrases et encadrez les CC de manière.

Sabine s'habille toujours avec beaucoup de goût.
Les choristes chantent sous la direction du chef d'orchestre.
À midi, M. Piaton déjeune très souvent sur le pouce.
En mangeant ma part de galette, j'ai découvert la fève.
Mme Clavel parle couramment plusieurs langues.
Ce comédien a de la mémoire : il connaît son texte par cœur.
Le sentier est étroit et les randonneurs se déplacent en file indienne.

2 ▶ Copiez ces phrases et encadrez les CC de cause.

Comme la facture est élevée, vous payez en plusieurs fois.
Faute d'échelle, tu n'as pas pu cueillir toutes les cerises.
Pedro est félicité pour avoir résolu cette énigme en peu de temps.
À la suite des départs en vacances, il y a des bouchons sur les autoroutes.
Vu leur manque de vivres, les assiégés durent se rendre.
Nous n'avons pas pu nous baigner parce que l'eau était trop froide.
Du moment que tu veux m'accompagner, j'ai retenu deux places.

3 ▶ Complétez ces phrases avec des CC de manière de votre choix.

…., les planeurs tournoient au-dessus de la vallée.
Le peintre exécuta les détails du portrait … .
Après sa victoire dans la course de haies, le cheval regagne son box … .
À l'autre bout du monde, ces deux amis se sont rencontrés … .
Le piton de la Fournaise, le volcan de la Réunion, s'est réveillé … .
Le chirurgien remit le fémur brisé en place … .
Pour ne pas faire de bruit, Laura pénètre dans la pièce … .

4 ▶ Complétez ces phrases avec des CC de cause de votre choix.

…, le berger Martin ne fut pas cru lorsque le loup vint vraiment.
…, les magasins seront fermés pour une durée indéterminée.
À cent mètres de l'arrivée, la voiture de tête est tombée en panne … .
Damien a refusé de prendre ce dessert … .
Le chien a perdu la trace du chevreuil … .
…, la famille s'est installée à Saint-Étienne.
Le public trépigne d'impatience … .

RÉPONSES P. 130 ▷

Les compléments circonstanciels
de but et de moyen

▶ Le **complément circonstanciel de but** (CC de but) indique avec quelle intention s'effectue l'action exprimée par le verbe.

Pour trouver le **CC de but**, on peut poser la question **Dans quel but ?**.

▶ Le **complément circonstanciel de moyen** (CC de moyen) indique à l'aide de quel moyen s'effectue l'action exprimée par le verbe.

Pour trouver le **CC de moyen**, on peut poser la question **Avec quoi ?**.

☞ Le vigneron taille ses vignes **pour qu'elles produisent de beaux raisins**.

Dans quel but taille-t-il ses vignes ? *pour qu'elles produisent de beaux raisins* → CC de but

☞ Le vigneron taille ses vignes **avec un sécateur électrique**.

Avec quoi taille-t-il ses vignes ? *avec un sécateur électrique* → CC de moyen

---

▶ Le **CC de but** peut être : un nom ou un groupe nominal, un verbe à l'infinitif ou une proposition subordonnée conjonctive.

▶ Le **CC de moyen** est le plus souvent introduit par la préposition **avec**.

Le boucher tranche la viande <u>avec</u> un couteau.

Et pour en savoir plus...

⚠ Le **CC de moyen** est souvent confondu avec le **CC de manière**. Pour les distinguer, on se souviendra que le **CC de moyen** représente un nom concret.

Le musicien accompagne le chanteur **avec une guitare**. → CC de moyen
Le musicien accompagne le chanteur **avec conviction**. → CC de manière

Entraînement

1 ▶ Copiez ces phrases et encadrez les CC de but.

Pour bien jouer du violon, il faut se couper soigneusement les ongles.
De crainte de se perdre, M. Rivière consulte régulièrement son GPS.
Christophe Colomb s'est embarqué pour rejoindre les Indes.
En vue de la période estivale, ce magasin présente une nouvelle collection.
Afin de réduire sa tension, Mme Juillet sale moins sa nourriture.
Le sculpteur choisit un bloc de marbre pour réaliser le buste d'Einstein.
De peur de manquer d'eau, le caravanier maîtrise sa consommation.

2 ▶ Copiez ces phrases et encadrez les CC de moyen.

Pour ne pas se mouiller, elle part avec un parapluie.
Avec les voitures modernes, on roule plus en sécurité qu'autrefois.
Cette personne handicapée se déplace à l'aide d'un fauteuil roulant.
Dans l'Antiquité, les marins naviguaient sans boussole.
Les rois ne mangeaient qu'avec des couverts en or.
Les pompiers ont éteint le feu de forêt avec l'appui des canadairs.
Comme la batterie est à plat, Luc met le moteur en marche avec la manivelle.

3 ▶ Complétez ces phrases avec des CC de but de votre choix.

Le cuisinier ajoute une goutte de liqueur à la pâte à crêpes … .
…, le photographe s'approche sans bruit des faisans.
Mme Rachel se rend chez le poissonnier … .
…, le cardinal de Richelieu a interdit les duels.
Le véliplanchiste borde sa voile … .
…, les supporters agitent des drapeaux et chantent à tue-tête.
…, les ambulanciers activent leur gyrophare.

4 ▶ Complétez ces phrases avec des CC de moyen de votre choix.

Le graveur réalise le timbre-poste … .
Le biologiste observe la goutte de sang … .
Le pêcheur récupère le brochet … .
Les touristes se protègent du soleil … .
Le gardien ferme le portail … .
Comme le mur est en béton, M. Duval le perce … .
Les ouvriers creusent une tranchée … .

RÉPONSES P. 130

▶ Les **conjonctions de coordination** relient deux mots, deux groupes de mots ou deux propositions de même nature et de même fonction.

▶ Les **conjonctions de coordination** peuvent exprimer des nuances diverses : la liaison, la cause, la conséquence, la transition, la négation, la restriction, l'alternative, l'explication…

Exemples

☞ **La liaison :** J'allume le lampadaire **et** les appliques du salon.

☞ **La cause :** J'allume le lampadaire, **car** il fait nuit.

☞ **La conséquence :** Il fait nuit, **donc** j'allume le lampadaire.

☞ **La transition :** Je voulais allumer, **or** l'électricité était coupée.

☞ **La négation :** Je n'allumerai **ni** le lampadaire **ni** les appliques.

☞ **La restriction :** J'allume le lampadaire, **mais** il n'éclaire que faiblement.

☞ **L'alternative :** J'allumerai le lampadaire **ou** les appliques.

☞ **L'explication :** Il est bien tard, **c'est-à-dire** près de minuit.

▶ Il existe :
– sept **conjonctions de coordination** simples : *mais – ou – et – donc – or – ni – car* ;
– des **mots** ou **locutions conjonctives** (surtout des adverbes, appelés **adverbes de liaison**) : *aussi – néanmoins – alors – d'ailleurs – en outre – en revanche – en effet*…

▶ La **conjonction de coordination** peut **relier deux mots** qui appartiennent à des classes de mots différentes, mais qui ont une nature équivalente : un nom et un pronom, par exemple.

Sandy **et** moi échangeons souvent des SMS.

Et pour en savoir plus...

⚠ Il ne faut pas confondre *ou*, **conjonction de coordination**, qui peut être remplacée par *ou bien*, et *où*, **pronom** ou **adverbe**, qui indique le lieu, le temps, la situation.

Nous visiterons le musée du Louvre **ou** (**ou bien**) l'Arc de Triomphe.
Dites-moi **où** se trouve le musée du Louvre.

1 ▶ Copiez ces phrases et encadrez les conjonctions de coordination.

Ces légumes sont sains ; en effet, ils sont cultivés sans apports chimiques.
Cette lettre pèse cent grammes, aussi faut-il coller un timbre d'un euro.
Les portes et les fenêtres de cet appartement sont en aluminium.
Les chênes perdent leurs feuilles, de même que les châtaigniers.
À moto, il est dangereux de rouler sans casque ni vêtements de cuir.
La pièce de théâtre est écrite en anglais, donc il faudra la traduire.

2 ▶ Complétez avec les conjonctions de coordination suivantes.

donc – et pourtant – or – car – mais – toutefois – puis

Galilée aurait déclaré en parlant de la Terre : « …, elle tourne ! »
Tu croyais avoir marqué, … le poteau renvoya le ballon.
Nous laverons le linge, nous l'étendrons, … nous le repasserons.
Cette rue est interdite aux véhicules, … elle est réservée aux piétons.
Le Brésil est vaste ; … la forêt amazonienne en occupe une grande partie.
Flavia a de la chance … ses parents lui ont offert un poney.
La note s'élève à trente euros, … je n'en ai que vingt-cinq !

3 ▶ Complétez avec des conjonctions de coordination de votre choix.

L'aigle royal … le faucon pèlerin sont des rapaces protégés.
Pour aller place de la Concorde, prenez le métro … l'autobus.
Le réservoir est vide, … l'automobiliste devra le remplir d'urgence.
M. Bazin voulait retenir une chambre, … l'hôtel était complet.
Au petit matin, ils sont partis sans tambour … trompette.
Je commanderai un thé au lait, … je ne bois jamais de café.
Demain, il fera beau, … des orages sont possibles sur le Sud-Est.

4 ▶ Complétez ces phrases avec ou, où.

Le jour … tu fêteras ton anniversaire, tu inviteras tous tes amis.
Que tu prennes à droite … à gauche, la durée du trajet sera la même.
À qui voulez-vous parler ? Au directeur … à son adjoint ?
Les Landes, c'est un département … les forêts de pins sont nombreuses.
Autrefois, on s'éclairait à la bougie … à la lampe à huile.
Clotaire hésite pour son futur métier : éleveur … vétérinaire ?
Pour corriger ce texte, utilise un dictionnaire … un logiciel d'orthographe.
L'orage a endommagé les serres … sont cultivées les tomates.

RÉPONSES P. 131

Les propositions indépendantes, coordonnées et juxtaposées

▶ Une **proposition indépendante** comporte un seul verbe conjugué ; elle ne dépend d'aucune autre proposition et aucune autre ne dépend d'elle.

▶ Les **propositions juxtaposées** sont reliées par une virgule, un point-virgule ou deux-points.

▶ Les **propositions coordonnées** sont reliées par une conjonction de coordination, une locution conjonctive ou un adverbe de liaison.

☞ **Propositions indépendantes :** Alix se tait. Chacun s'étonne de son attitude.

☞ **Propositions juxtaposées :** Alix se tait ; chacun s'étonne de son attitude.

☞ **Propositions coordonnées :** Alix se tait, **alors** chacun s'étonne de son attitude.

▶ Dans certains cas, la **conjonction de coordination** est précédée d'une **virgule**.
Il arrive, donc je pars.

▶ Le rapport de sens entre les **propositions juxtaposées** est souvent moins fort que celui entre les **propositions coordonnées**.

Et pour en savoir plus...

Dans une même phrase, il est possible de rencontrer des **propositions juxtaposées** et des **propositions coordonnées**.

Tu suis le couloir, tu pousses la porte et tu pénètres dans la salle.
prop. juxtaposée   prop. juxtaposée   prop. coordonnée

Dans les propositions coordonnées et juxtaposées, le groupe sujet ou le verbe peuvent ne pas être exprimés. Ce sont des **propositions elliptiques**.

Elle lave, puis épluche les fruits.   Elle est gémeaux, lui capricorne.

1 ▶ Copiez ces phrases et indiquez, entre parenthèses, la nature des propositions.

Guillaume crie au loup, mais personne ne le croit.
Ne laissez pas les enfants jouer avec des allumettes.
Ce jeune couple visite un appartement dans une cité de la banlieue de Lille.
Le cholestérol freine la circulation du sang et entraîne des accidents cardiaques.
Le soigneur ne se déplace jamais sans sa trousse et son éponge miracle !
On a découvert un nouveau médicament ; il soulagera nombre de malades.

2 ▶ Transformez ces propositions coordonnées en propositions juxtaposées.

Cette façade est dans un triste état, donc les maçons devront la ravaler.
Tu attends des renforts ou tu poursuis seul les recherches.
M. Flavien comptait s'orienter grâce au panneau indicateur, or il est illisible.
Ce parc est très fréquenté, néanmoins on y trouve quelques coins calmes.
La vendange sera excellente, car le soleil a favorisé la maturation du raisin.
Les joueurs réagissent dans le dernier quart temps et ils marquent deux buts.

3 ▶ Transformez ces propositions juxtaposées en propositions coordonnées.

Il a bien reçu les messages sur son ordinateur : il ne peut pas les ouvrir.
Karen a tenu son pari : elle a plongé du haut de la falaise.
Louis possède une montre d'une grande valeur ; il ne s'en séparera jamais.
César bat les cartes ; Panisse les distribue.
Sarah m'a envoyé un SMS : elle est arrivée à bon port.
Le terrain est impraticable : le match a été annulé.

4 ▶ Copiez ce texte et indiquez, entre parenthèses, la nature des propositions.

Le soleil, déjà très bas, descendait vers l'eau de plus en plus vite, entraînant tout l'horizon après lui. Le vent fraîchissait, l'île devenait violette. Dans le ciel, près de moi, un gros oiseau passait lourdement : c'était l'aigle de la tour génoise. Peu à peu la brume de mer montait. Bientôt on ne voyait plus que l'ourlet blanc de l'écume autour de l'île. Tout à coup, au-dessus de ma tête, jaillit un grand flot de lumière douce. Le phare était allumé. Laissant toute l'île dans l'ombre, le clair rayon allait tomber au large sur la mer, et j'étais là perdu dans la nuit, sous ces grandes ondes lumineuses.

Alphonse Daudet, *Lettres de mon moulin*, « Le Phare des Sanguinaires », 1869.

RÉPONSES P. 132

35 Les propositions relatives

> ▶ La **proposition subordonnée relative** permet de compléter un nom ou un pronom appartenant à la proposition principale.
>
> ▶ Le **pronom relatif** unit la proposition subordonnée relative au nom (ou au pronom) placé dans la proposition principale. Ce nom (ou ce pronom) se nomme l'**antécédent**.
>
> ▶ Le **pronom relatif** a toujours le même genre et le même nombre que son **antécédent**.

Exemples

☞ M. Forest n'ouvre que très rarement la fenêtre **qui donne sur la cour**.

☞ Je retourne souvent dans le quartier **où j'ai passé mon enfance**.

☞ Liliane me prête le livre **dont l'auteur vient d'obtenir un prix littéraire**.

▶ La **proposition subordonnée relative** peut être enchâssée dans la proposition principale.

La fenêtre, **qui donne sur la cour**, n'est que très rarement ouverte.

▶ Les **pronoms relatifs** :
– de **formes simples** : *qui – que – dont – où – quoi* ;
– de **formes composées** : *lequel – laquelle – lesquels – lesquelles*. Elles sont parfois construites avec les prépositions *à* et *de* : *auquel – à laquelle – duquel – desquelles...*

Et pour en savoir plus...

🔆 Dans la proposition subordonnée, le **pronom relatif** a diverses fonctions :

– sujet : Les moustiques **qui** transmettent le paludisme ne sont pas gros.

– COD : Grégory apprécie les conseils **que** lui donne son ami Carlos.

– COI : La représentation à **laquelle** j'assiste a débuté à vingt heures.

– CCL : Le rayon **où** se trouvent les articles de pêche est introuvable.

– complément du nom : J'ai lu le livre **dont** tu m'as parlé.

 Entraînement

1 ▶ **Copiez ces phrases, soulignez les propositions principales et encadrez les propositions subordonnées relatives.**

Le journaliste qui interroge le ministre pose des questions pertinentes.
Coline sort d'un spectacle où tout le public riait.
Toi qui parles italien couramment, peux-tu me traduire cette notice ?
Le plat pour lequel j'ai incontestablement une préférence, c'est le couscous.
Les mauvaises habitudes que prennent les enfants sont difficiles à perdre.
Le chanteur pour lequel Léa a le plus d'admiration vient de sortir un album.

2 ▶ **Complétez les phrases avec le pronom relatif qui convient.**

Mila songe déjà à la soirée à … sa cousine Marie l'a invitée.
Les tisanes … tu me vantes les vertus n'ont aucun effet sur moi.
Ceux … ne perçoivent plus de salaire depuis des mois touchent le RMI.
Le parking dans … nous avons garé notre voiture est gardé jour et nuit.
Les arbres sur …, enfants, nous grimpions ont été abattus récemment.
J'aime les fleurs … tu as cueillies cet après-midi.
Les factures … le comptable fait état devront être vite réglées.
Le lycée … M. Terrier a fait ses études vient de changer de nom.

3 ▶ **Remplacez les mots en gras par une proposition subordonnée relative.**

M. Duverger retourne chaque année dans le village *natal de ses parents*.
M. Dussolier est abonné à un journal *quotidien*.
En fin de journée, les Africains se réunissent sous l'arbre *à palabres*.
Une boutique *de vêtements* vient d'ouvrir dans le quartier.
Mme Wagner a remplacé ses lunettes par des lentilles *invisibles*.
On ne ramasse que les coquillages *comestibles*.
Les places *réservées* se trouvent au premier rang.

4 ▶ **Remplacez les antécédents en gras par ceux entre parenthèses ; faites les transformations nécessaires.**

Le coteau (La colline) sur lequel poussent des vignes est exposé au sud.
La solution (Le résultat) à laquelle le mathématicien est arrivé est exacte.
L'employé (Les employés) auquel je m'adresse me renseigne précisément.
Le piège (La situation) dans lequel se trouve l'espion lui coûtera la vie.
On installe *un télescope* (une lunette) avec lequel les astronomes observent les étoiles lointaines.

RÉPONSES P. 133

> ▶ Les **conjonctions de subordination** relient une proposition subordonnée à une proposition principale.
> ▶ Les **conjonctions de subordination** ne peuvent relier que des propositions.
> ▶ Les **conjonctions de subordination** expriment des nuances diverses.

Exemples

☞ **La cause** : **Puisque** la machine est en panne, je ferai la vaisselle à la main.
☞ **Le but** : Je remplis l'évier **afin que** la vaisselle soit faite rapidement.
☞ **La conséquence** : La machine est en panne, **si bien que** je ferai la vaisselle à la main.
☞ **La condition** : **Si** la machine est en panne, je ferai la vaisselle à la main.
☞ **Le temps** : **Dès que** la machine sera réparée, j'y placerai la vaisselle.
☞ **La comparaison** : **Selon que** tu la fais à la main ou à la machine, la vaisselle sera plus ou moins propre.
☞ **La concession** : **Bien que** la machine soit réparée, je ferai la vaisselle à la main.

▶ Les sept **conjonctions de subordination simples** :
quand – lorsque – si – comme – puisque – que – quoique

▶ Les **locutions conjonctives**, le plus souvent formées avec **que** : **alors que – aussitôt que – depuis que – parce que – pendant que – bien que...**

Et pour en savoir plus...

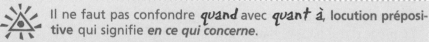

⚠ Il ne faut pas confondre **quand** avec **quant à**, locution prépositive qui signifie *en ce qui concerne*.
Quand (Lorsque) tu seras prêt, nous partirons.
Quant au départ (En ce qui concerne le départ), il est reporté.

⚠ Il ne faut pas confondre **si**, conjonction de subordination ou adverbe, avec **s'y**, contraction par euphonie de *se y*.
Nous partirons **si** le temps le permet.   Il va à Lyon ; il **s'y** rend en TGV.

Entraînement

1 ▶ **Complétez avec les conjonctions de subordination suivantes.**

avant qu' – comme – jusqu'à ce qu' – quoique – que – lorsque – puisqu'

… la route soit étroite, le camion s'engage, en ralentissant tout de même.
… les glaces polaires auront fondu, le niveau des mers montera.
J'enregistrerai l'émission … elle est programmée trop tard.
Il est indispensable de ramasser les tomates … elles ne pourrissent.
Le mur des défenseurs devra reculer … la règle du jeu l'exige.
Le magicien se doute … les spectateurs voudraient connaître son secret.
Nous filtrerons l'eau … elle soit enfin potable.

2 ▶ **Complétez avec des conjonctions de subordination qui conviennent.**

… la récolte de choux-fleurs est abondante, les prix baissent.
Léon ne reçoit plus son magazine … il n'a pas renouvelé son abonnement.
… on aperçoive des traces, les chevreuils sont invisibles.
Les riverains ont renforcé la digue … le fleuve n'envahisse la ville.
… la marée se sera retirée, nous irons ramasser des coquillages.
… un avion décolle, il faut une forte poussée des réacteurs.

3 ▶ **Complétez ces phrases avec quand ou quant.**

… le moniteur aura installé le trampoline, les gymnastes s'entraîneront.
Valentin a effectué l'aller en avion ; … au retour, il le fera en train.
… l'alarme incendie retentit, tout le monde évacue les lieux.
Le col du Lautaret est fermé … la neige est trop abondante.
… à faire le ménage de votre chambre, autant que ce soit de bon gré !
Johanna a dégusté un éclair au café ; … à la glace à la vanille, elle a fondu.
Le tournage pourra débuter … le décor aura été installé.
Pour l'instant, Marc travaille à Voiron ; … à s'y établir, il verra plus tard.

4 ▶ **Complétez ces phrases avec si ou s'y.**

Le manteau de la cheminée est … haut qu'un homme … tient debout.
Pourquoi le tigre est-il un animal … cruel alors qu'il paraît … doux ?
… le vent souffle trop fort, vous fermerez les fenêtres et les volets.
Quelle ressemblance entre le tableau et sa copie, c'est à … méprendre.
La facture n'est pas … élevée qu'il l'avait prévu ; M. Cloix est soulagé.
… tu veux rencontrer un expert de la pêche, va voir Serge, il … connaît.
… vous visitez les souks marocains, soyez prudents : on … perd facilement.
… tu connais le sens de ce proverbe « Qui … frotte … pique », dis-le-moi.

RÉPONSES P. 134 >

▶ Les **propositions subordonnées conjonctives** – introduites par une conjonction de subordination – complètent le verbe ou expriment une circonstance de l'action de la proposition principale.

▶ Les **propositions subordonnées complétives** – introduites par *que* – sont le plus souvent compléments d'objet du verbe de la principale et ne peuvent être ni déplacées ni supprimées sans modifier le sens de la phrase.

▶ Les **propositions subordonnées circonstancielles** précisent les circonstances de l'action de la proposition principale.

Exemples

☞ **Proposition subordonnée complétive, complément d'objet**
M. Ayraud attend **que les pompiers interviennent**.

☞ **Proposition subordonnée circonstancielle, complément de temps**
Quand on détecte un incendie, on appelle les pompiers.

▶ Il est possible qu'une **proposition subordonnée** dépende d'une autre proposition subordonnée et non de la proposition principale.
Il se peut / **que l'orage ait éclaté** / **pendant que nous dormions**.

Et pour en savoir plus...

⚠ Il ne faut pas confondre la **proposition subordonnée conjonctive**, introduite par *que*, avec la **proposition subordonnée relative**, également introduite par *que*.

J'attendais **que le facteur m'apporte une lettre**. → prop. conjonctive
Le facteur m'apporte la lettre **que j'attendais**. → prop. relative

Entraînement

1 ▶ **Copiez ces phrases, encadrez les propositions principales et soulignez les propositions subordonnées conjonctives.**

Si vous vous arrêtez de fumer, vous vous sentirez mieux.

Lorsque les hirondelles se rassemblent, c'est la fin de l'été.

Pendant que les Japonais dorment, les Européens profitent du soleil.

Pensez-vous que les derniers essais de ce nouvel Airbus sont satisfaisants ?

Pour autant que je sache, le premier train à vapeur a circulé en Angleterre.

Avant que tu n'oublies, je te rappelle que nous dînons chez les Martin.

Comme ce lac est une réserve d'eau douce, il serait bon qu'il soit protégé.

2 ▶ **Copiez ces phrases en remplaçant les groupes de mots en gras par une proposition subordonnée conjonctive.**

Ces employés en grève espèrent **une augmentation**.

L'orateur réclame **un peu de silence au public**.

Les agriculteurs craignent **la suspension des autorisations d'arrosage**.

Ce portillon électronique permet **un contrôle des bagages des voyageurs**.

La population locale déplore **la fermeture de la fonderie**.

L'ensemble des locataires demande **l'installation d'un digicode**.

Je prendrai une décision définitive **dès mon retour**.

Les riverains exigent **la pose de murs antibruit le long de l'autoroute**.

3 ▶ **Complétez avec des propositions circonstancielles de votre choix.**

…, une tempête de sable contraignit la caravane à se mettre à l'abri.

Nous piétinons devant les grilles, … .

Vous allez prendre un coup de soleil … .

La pintade sera plus savoureuse … .

…, nous nous rendrons au centre commercial.

À la fin de la journée, le peintre nettoie ses pinceaux … .

4 ▶ **Soulignez les propositions subordonnées conjonctives et encadrez les propositions subordonnées relatives.**

Le médecin annonce au malade que son rythme cardiaque est trop élevé.

Le patient que soigne ce dermatologue devrait guérir rapidement.

Les élèves attendaient avec impatience que des prix leur soient distribués.

Les livres que distribue le principal récompensent les meilleurs élèves.

Je comprends que tu refuses cette proposition.

La proposition que tu refuses n'était pas assez séduisante.

RÉPONSES P. 135

38 Les propositions infinitives

> ▶ Les **propositions subordonnées infinitives** s'organisent autour d'un verbe à l'infinitif dont le sujet est distinct de celui de la proposition principale.
>
> ▶ Les **propositions subordonnées infinitives** ne sont pas introduites par une conjonction de subordination.
>
> ▶ La **proposition subordonnée infinitive** est complément d'objet direct du verbe de la principale.

☞ De loin, on aperçoit **les lions boire au marigot**.

☞ Sylvie se laisse **séduire par la publicité**.

☞ Il y a des problèmes que je sais **être difficiles**.

☞ Les curieux regardent **planer les cerfs-volants**.

▶ Les **propositions subordonnées infinitives** se trouvent essentiellement **après des verbes de sensation** (*regarder, écouter, sentir, voir, entendre, contempler, observer, distinguer...*) et **des verbes d'affirmation** (*savoir, dire, prétendre, affirmer...*).

▶ Le sujet de la **subordonnée infinitive** peut être un **nom** (souvent inversé) ou un **pronom**.

Je sens **venir le froid**.

J'entends **quelqu'un chanter**.

Et pour en savoir plus...

Pour distinguer la **proposition subordonnée infinitive** du **groupe infinitif prépositionnel**, on essaie de déplacer le sujet ; si c'est possible, il s'agit d'une subordonnée infinitive.

Le policier voit les automobiles s'arrêter. → *Le policier voit s'arrêter les automobiles.* → subordonnée infinitive

Le policier demande aux automobiles de s'arrêter. → groupe prépositionnel

1 ▶ Copiez ces phrases et entourez les propositions subordonnées infinitives.

Le chasseur aperçoit les lapins détaler au premier coup de fusil.
Le public écoute l'orchestre entamer l'*Hymne à la joie* de Beethoven.
Les spectateurs regardent décoller les montgolfières.
Le chef de chantier vit l'énorme grue déplacer les poutrelles.
Valérie entend couler l'eau du robinet ; elle se précipite pour le fermer.
Au marché, on découvre les maraîchers vanter la qualité de leurs produits.

2 ▶ Transformez les propositions subordonnées conjonctives en gras en propositions subordonnées infinitives.

J'ai entendu que la porte se refermait brusquement.
→ J'ai entendu la porte se refermer brusquement.

Barnabé voit **que la discussion s'éternise inutilement**.
L'entraîneur sent **que ses joueurs faiblissent en seconde mi-temps**.
Les personnes dépensières voient **que leurs économies fondent**.
Jessy entend **que son petit chat miaule**.
On voit **que les voiliers passent près de la bouée rouge**.

3 ▶ Complétez avec des propositions subordonnées infinitives.

Au petit matin, tu as entendu … .
Le 14 Juillet, sur les Champs-Élysées, les badauds observent … .
Secouée par des frissons, Élisabeth sent … .
Allongé sous un pin parasol, Gauthier écoute … .
Comme il n'a pas ses lunettes, grand-père laisse … .
Préoccupé, l'éleveur regarde … .
L'installation électrique de M. Leroy est défectueuse ; il la fera … .

4 ▶ Copiez ces phrases, encadrez les propositions subordonnées et indiquez leur nature entre parenthèses.

Lorsqu'elle se présente, ne laissez pas passer la chance.
M. Delmas revisite le quartier qu'il a habité pendant dix ans.
Vous faites cuire le rôti pour qu'il soit à point vers midi.
Le vendeur accepte que la garantie soit prolongée de deux ans.
L'usine ne fermera pas bien que les commandes diminuent sensiblement.
Le gardien du musée laisse entrer les visiteurs.

RÉPONSES P. 136

39   La voix passive

▶ Un verbe est à la **voix passive** quand le sujet subit l'action, l'état ou la situation. Le complément d'objet direct du verbe actif devient le sujet du verbe passif et le sujet du verbe actif devient le **complément d'agent** du verbe passif.

▶ Le **complément d'agent** est le plus souvent introduit par les prépositions *par* et *de*.

☞ **Voix active**

Albert Camus a écrit *L'Étranger*.
    sujet   COD

Ces lecteurs connaissent *L'Étranger*.
    sujet   COD

☞ **Voix passive**

L'Étranger a été écrit **par** Albert Camus.
    sujet   comp. d'agent

L'Étranger est connu **de** ces lecteurs.
    sujet   comp. d'agent

▶ Au **passif**, tous les verbes sont conjugués avec l'auxiliaire *être* qui porte la marque du temps :

– présent de l'indicatif : Le courrier **est** distribué par le facteur.

– futur simple de l'indicatif : Le courrier **sera** distribué par le facteur.

– passé composé de l'indicatif : Le courrier **a été** distribué par le facteur.

– présent du conditionnel : Le courrier **serait** distribué par le facteur.

– présent du subjonctif : Il faut que le courrier **soit** distribué par le facteur.

Et pour en savoir plus...

Les verbes *aller, devenir, rester, arriver, tomber, entrer, partir*, etc., dont la conjugaison se fait toujours avec l'auxiliaire *être*, **ne sont jamais à la voix passive**.

Il est possible que le **complément d'agent** soit **sous-entendu**.

L'immeuble **a été construit** en peu de temps.

Le passage à l'actif se fait avec le pronom sujet *on*.

On a construit l'immeuble en peu de temps.

Entrainement

1 ▶ Transformez ces phrases à la voix active. Respectez les temps.

La route est coupée par une avalanche.
Les récoltes furent détruites par un violent orage.
La paix avait été signée par les généraux.
Vous avez été surpris par ce bruit.
La fillette sera élevée par ses grands-parents.
Tu serais émerveillée par les décorations de Noël.
La piscine était surveillée par les maîtres nageurs.

2 ▶ Transformez ces phrases à la voix passive. Respectez les temps.

Les convives apprécièrent le repas.
Le contrôleur vérifie les billets des voyageurs.
Alexander Fleming a découvert la pénicilline.
La Lune éclipsera peu à peu le Soleil.
La loi interdit la contrefaçon de vêtements de luxe.
La réaction du fauve avait surpris le dompteur.
Tous les habitants de l'île de Futuna ont ressenti le tremblement de terre.

3 ▶ Transformez ces phrases à la voix active. Respectez les temps.

Les deux satellites furent placés sur orbite par la fusée *Ariane*.
L'exposition sera réalisée par un conservateur admirateur de Chagall.
Le costume de l'acteur avait été confectionné par une habile couturière.
Ces énormes rochers sont arrachés, puis roulés par les eaux du torrent.
La Méditerranée a toujours été sillonnée par de hardis marins.
La panne aurait été détectée par un mécanicien à l'aide d'un ordinateur.

4 ▶ Transformez ces phrases à la voix passive. Respectez les temps.

Dans le métro, des milliers de personnes lisent les journaux.
Un architecte de talent avait réalisé les plans de l'hôtel des Finances.
L'archiviste conserva tous les documents dans des armoires blindées.
N'importe qui pourrait ouvrir cette porte.
Seuls quelques cruciverbistes compléteront la grille de mots croisés.
Une flaque d'huile sur la chaussée aurait provoqué la chute du motard.
Hergé a dessiné lui-même les aventures de Tintin et Milou.
Des internautes inondent les messageries de courriers incompréhensibles.

RÉPONSES P. 137

> Les différents **modes personnels** des verbes permettent d'exprimer des nuances de sens.
Indicatif → action ou état dans la réalité.
Impératif → action sous forme d'ordre, de conseil, de prière…
Conditionnel → action éventuelle, qui dépend d'une condition.
Subjonctif → action envisagée ou hypothétique.

> Les **modes impersonnels** ne varient pas selon les personnes.
Infinitif → forme nominale du verbe.
Participe → permet d'exprimer les mêmes nuances que l'adjectif qualificatif.
Gérondif → action dont l'auteur est toujours identique à celui du verbe de la phrase.

> Le **temps** d'un verbe permet de se situer (action – parole – état) sur un axe temporel (passé – présent – futur).

Exemples

☞ Les archers **viseront** la cible. → mode : indicatif / temps : futur

☞ **Adresse**-toi au premier guichet. → mode : impératif / temps : présent

☞ J'**aurais dû** faire demi-tour. → mode : conditionnel / temps : passé

☞ Il faut que je **fasse** demi-tour. → mode : subjonctif / temps : présent

☞ **En faisant** demi-tour, je suis tombé. → mode : gérondif

☞ Ramasse les poires **tombées** de l'arbre. → mode : participe / temps : passé

☞ **Marchant** vite, nous serons à l'heure. → mode : participe / temps : présent

> Les fonctions des verbes à un **mode impersonnel** :

– l'**infinitif** peut occuper toutes les fonctions du **nom**, mais il reste invariable ;

– le **participe** peut occuper toutes les fonctions de l'**adjectif qualificatif** ; le participe présent reste invariable, alors que le participe passé s'accorde avec le nom qu'il qualifie ;

– le **gérondif** est toujours **complément circonstanciel** (généralement de manière).

1 ▶ **Copiez ces phrases et indiquez entre parenthèses le mode personnel et le temps de chaque verbe en gras.**

À la vue du crocodile, le malheureux rameur **fut pris** de peur panique.

S'il **faisait** un héritage, cet agriculteur **agrandirait** son exploitation.

Lorsque le tocsin **retentissait**, les paysans **se réfugiaient** dans l'église.

Avant de dire une bêtise, **réfléchissez** un peu.

Je **m'étonne** que tu **prétendes** te baigner dans cette eau glacée.

Lorsque vous **arriverez** au carrefour, **tournez** à droite.

Il est possible que le niveau de la Saône **atteigne** six mètres à Mâcon.

Pour nettoyer le carburateur, **branche** le compresseur.

2 ▶ **Copiez ces phrases et indiquez entre parenthèses le temps (passé – présent – futur) des verbes en gras.**

Certains alchimistes **tentaient** de transformer le plomb en or.

Si tu **as** mal à la tête, **prends** ce cachet : il te **calmera**.

Avant de partir au Japon, j'**avais converti** mes euros en yens.

Lorsque Ketty **eut consulté** le menu, elle **choisit** une pizza au jambon.

Des bénévoles **secourent** les personnes victimes de l'explosion.

Quand Alexandre **aura rechargé** la batterie, il **pourra** téléphoner.

Qui **distribue** les quotidiens gratuits à la sortie du métro ?

3 ▶ **Copiez ce texte en indiquant le mode et le temps (passé – présent – futur) des verbes en gras.**

Je passe la journée à **tenter** de me persuader que je **m'affole** pour rien et que M. Quelque Chose, qui dispose d'un portefeuille suffisamment **garni** pour acheter le quatrième étage, a d'autres sujets de préoccupation que les tressautements parkinsoniens d'une concierge arriérée.

Et puis, vers dix-neuf heures, un jeune homme **sonne** à ma loge.

– Bonjour, madame, me dit-il **en articulant** à la perfection, je m'appelle Paul N'Guyen, je suis le secrétaire particulier de M. Ozu.

Il me **tend** une carte de visite.

– Voici mon numéro de téléphone portable. Des artisans vont venir travailler chez M. Ozu et nous ne **voudrions** pas que cela vous **octroie** une charge de travail supplémentaire. Aussi, au moindre problème, **appelez**-moi, je **viendrai** au plus vite.

Muriel Barbery, *L'Élégance du hérisson*, © Éditions Gallimard, 2006.

RÉPONSES P. 138

> ▶ Le **mode indicatif** permet d'exprimer la réalité d'une action ou d'un état.

> ▶ Le **mode indicatif** compte **quatre temps simples** auxquels correspondent **quatre temps composés**.

☞ Par mégarde, j'**efface** mon répertoire téléphonique.

Le **présent** exprime généralement une action qui se déroule au moment où l'on parle, où l'on écrit. Il peut également exprimer des actions passées que l'on place dans le présent pour les rendre plus vivantes (**présent de narration**).

☞ En changeant de téléphone, tu **as effacé** ton répertoire.

Le **passé composé** exprime des faits achevés à un moment donné du passé, dont les conséquences sont encore sensibles dans le présent.

☞ Chaque fois que tu **changeais** de téléphone, tu **effaçais** ton répertoire.

L'**imparfait** marque une action située dans le passé, qui n'est peut-être pas encore achevée, qui n'est pas délimitée dans le temps.

☞ Lorsque tu t'en aperçus, il était trop tard : tu **avais effacé** ton répertoire.

Le **plus-que-parfait** exprime des faits accomplis dont la durée est indéterminée et qui se situent avant une autre action passée exprimée le plus souvent à l'imparfait, au passé composé ou au passé simple.

☞ En manipulant ton téléphone, tu **effaças**, par mégarde, ton répertoire.

Le **passé simple** exprime des faits passés, complètement achevés, sans idée d'habitude et sans lien avec le présent.

☞ Lorsque tu **eus effacé** ton répertoire, tu sus que tu avais fait une erreur.

Le **passé antérieur** exprime des faits accomplis, généralement brefs, et qui se situent avant une autre action passée exprimée au passé simple.

☞ Lors de ton prochain changement de téléphone, tu **effaceras** ton répertoire.

Le **futur simple** indique une action qui se fera, avec plus ou moins de certitude, dans l'avenir par rapport au moment où l'on parle.

☞ Lorsque tu **auras changé** de téléphone, tu effaceras ton répertoire.

Le **futur antérieur** exprime une action qui sera achevée à un moment donné du futur. On dit que c'est le passé du futur.

1 ▶ Copiez ces phrases et indiquez entre parenthèses le temps de l'indicatif des verbes en gras.

Je **revois** ce film de science-fiction avec beaucoup de plaisir.
Dans quelques années, ces tableaux **vaudront** une petite fortune.
Le ciment **avait durci** et il était impossible de déplacer les moellons.
Les aventures de Fantômette **passionnaient** les fillettes.
Aussitôt que Rachid **se fut aperçu** de son erreur, il la corrigea.
Tu n'**es** pas **parvenu** à lire ce message écrit en chinois !
Dans sa jeunesse, M. Cadet **vécut** longtemps en Espagne.
Dès que l'hiver **sera venu**, les stations des Alpes ouvriront leurs pistes.

2 ▶ Copiez ces phrases en écrivant les verbes en gras aux temps simples de l'indicatif qui conviennent.

Tout va bien : la station spatiale *(émettre)* en direction de la Terre.
Autrefois, les livres imprimés n'*(exister)* pas ; on les *(copier)* à la main.
Lorsqu'elle sera achevée, la passerelle nous *(permettre)* de traverser.
Quand Paul eut lu la notice, il *(assembler)* les premiers éléments.
Quand il sera arrivé à Orange, le routier *(s'accorder)* un moment de repos.

3 ▶ Copiez les phrases en écrivant les verbes en gras au passé simple ou à l'imparfait de l'indicatif.

À Waterloo, Napoléon *(attendre)* des renforts qui ne *(venir)* jamais.
Comme la plante *(dépérir)*, tu la *(transplanter)* immédiatement.
Un éclair *(zébrer)* le ciel et la foudre *(s'abattre)* sur un pylône.
Les tôles du hangar *(vibrer)*, alors le propriétaire les *(fixer)*.
Avant 1789, ne possédant pas le droit de chasse, les paysans *(braconner)*.
La voiture ne *(démarrer)* plus, alors le garagiste *(nettoyer)* le carburateur.

4 ▶ Recopiez les phrases en écrivant les verbes en gras aux temps composés de l'indicatif qui conviennent.

Aussitôt que vous *(appuyer)* sur le bouton de droite, l'écran s'alluma.
La tour de bureaux que l'architecte *(concevoir)* est inaugurée aujourd'hui.
Quand la cuisinière *(farcir)* la dinde, elle la placera au four.
Dès que Lucas *(économiser)* un peu d'argent, il le dépensait.
Dès que je *(parvenir)* au dixième étage, je repris mon souffle.
On boit sans crainte l'eau que les techniciens *(contrôler)*.

RÉPONSES P. 139

> ▸ **L'impératif** est employé pour exprimer des ordres, des conseils, des souhaits, des recommandations, des interdictions...
>
> ▸ **L'impératif** ne se conjugue qu'à **trois personnes**, sans sujet exprimé.
>
> ▸ **L'impératif** est essentiellement utilisé à l'oral et au **présent** ; le **passé** de l'impératif est rare.

Exemples

☞ **Le présent de l'impératif**
Cherche une solution.
Cherchons une solution.
Cherchez une solution.

☞ **Le passé de l'impératif**
Aie terminé ton travail avant midi.
Ayons terminé notre travail avant midi.
Ayez terminé votre travail avant midi.

▸ À l'**impératif**, le pronom personnel des verbes pronominaux se place après le verbe à la forme affirmative.

Maîtrise-toi.
Maîtrisons-nous.
Maîtrisez-vous.

▸ À l'**impératif**, les verbes du 1er groupe ne prennent pas de **-s** à la 2e personne du singulier.

Néanmoins, par **euphonie**, lorsque le verbe se termine par une voyelle (*-e* ou *-a* pour le verbe *aller*), on ajoute un **-s** quand le mot qui suit est un des pronoms personnels **en** ou **y**.
Parles-en.   Vas-y.

Et pour en savoir plus...

 Quelques formes particulières :

aller :	**Va** chercher !	**Allons** chercher !	**Allez** chercher !
savoir :	**Sache** te taire.	**Sachons** nous taire.	**Sachez** vous taire.

Certains verbes ne se conjuguent pas à l'impératif :
devoir – pouvoir – valoir – faillir – falloir – neiger – pleuvoir...

1 ▶ Écrivez les verbes en gras aux temps et aux personnes demandés.

	présent de l'indicatif	présent de l'impératif
répondre au téléphone	Vous …	….
souffrir en silence	Tu …	…
faire attention aux obstacles	Vous …	…
râper du gruyère sur les pâtes	Tu …	…
s'asseoir dans les gradins	Nous …	…
ne pas sortir par ce froid	Tu …	…
consentir à nous écouter	Tu …	…

2 ▶ Copiez ces phrases en écrivant les verbes en gras au présent de l'impératif. Soyez attentif(ve) aux indices qui indiquent la personne.

Pour ton anniversaire, *(réunir)* tes amis et *(préparer)* un buffet froid.
(S'acquitter) de la tâche qui t'est confiée du mieux possible.
(Confronter) nos points de vue et nous serons peut-être d'accord.
(Ne pas dire) que vous ignorez la date de la bataille de Marignan.
(Être) persévérante, *(avoir)* du courage, *(ne pas revenir)* sur ta décision.
(Rapporter) ton caddie pour récupérer ta pièce d'un euro.
Pour te donner du courage, *(boire)* ce jus d'orange.

3 ▶ Copiez ce texte en écrivant successivement les verbes en gras aux trois personnes du présent de l'impératif.

Pour jouer à la belote, *(prendre)* un jeu de trente-deux cartes. Le *(mélanger)* et *(faire)* couper par un des quatre joueurs. *(Distribuer)* huit cartes à chacun et *(retourner)* la dernière qui désigne l'atout. Bien *(retenir)* sa couleur. Ne pas *(oublier)* d'annoncer les tierces ou la belote. *(Se rappeler)* que la carte la plus forte est l'as, sauf à l'atout où c'est le valet. À la fin de la partie, *(compter)* les points de chaque équipe et les *(noter)* sur un carnet ou *(répartir)* les jetons indiquant le score de chaque équipe.

4 ▶ Transformez les phrases comme dans l'exemple en remplaçant le groupe nominal en gras par un pronom : en, le, la ou y.

Ne déchire pas ce document. → Ne *le* déchire pas.

Verse du lait **dans ce verre**.   Complète **la grille de Sudoku**.
Imprime une partie **du texte**.   Contacte **le standard**.
Réserve deux **places**.   Pioche une carte **dans le tas**.

RÉPONSES P. 139

> ▶ Le **conditionnel** exprime généralement des faits dont la réalisation est soumise à une condition exprimée ou non.

> ▶ Le **conditionnel** comporte deux temps : le présent et le passé.

☞ Si ce joueur d'échecs sacrifiait son fou, il **gagnerait**.

Si la condition peut être réalisable, on emploie le **présent du conditionnel**.

☞ Si ce joueur d'échecs avait sacrifié son fou, il **aurait gagné**.

Si la condition n'est plus réalisable, on emploie le **passé du conditionnel**.

☞ Si ce joueur d'échecs sacrifie son fou, il **gagnera**.

Si la condition est réalisable, on n'emploie pas le conditionnel, mais l'**indicatif**.

▶ La **condition** est souvent exprimée par une **proposition subordonnée conjonctive**, mais elle peut également l'être par :
– un groupe nominal → Avec le sacrifice de son fou, il **aurait gagné**.
– un gérondif → En sacrifiant son fou, il **aurait gagné**.
– un groupe pronominal → Avec nous, il **aurait gagné**.
– un participe en apposition → Réfléchissant, il **aurait gagné**.

▶ On emploie également le **conditionnel** quand on veut atténuer un propos, exprimer un doute, un souhait, un regret.

Ce joueur d'échecs **gagnerait** à réfléchir un peu.
En jouant ainsi, on **dirait** qu'il est sur le point de gagner.
Ce joueur d'échecs **voudrait** gagner la partie.
Ce joueur d'échecs **aurait voulu** gagner la partie.

Et pour en savoir plus...

 Quand le **présent du conditionnel** évoque une action postérieure à une action passée, on l'appelle le **futur du passé** ; il est considéré alors comme un temps de l'indicatif.

Je croyais qu'il **sacrifierait** son fou ; je me suis trompé.

1 ▶ **Copiez ces phrases en écrivant les verbes en gras au présent du conditionnel.**

Pour rien au monde, cet agent secret ne *(trahir)* ses compagnons.
Par hasard, ce flacon *(contenir)*-il un breuvage miraculeux ?
Si nous étions raisonnables, nous *(prévoir)* une petite pause.
Je suis sûre qu'un filet de citron *(améliorer)* le goût de cette salade.
Pourquoi ne *(teindre)*-tu pas tes cheveux en blond ?
Avant de grimper, Marc *(devoir)* s'assurer de la solidité de cette corde.

2 ▶ **Copiez ces phrases en écrivant les verbes en gras au passé du conditionnel.**

En passant à Bourges, Claire *(revoir)* volontiers la maison de son enfance.
Si tu avais ouvert les vannes du barrage, tu *(provoquer)* une catastrophe.
Sans un bouchon à Périgueux, le routier *(arriver)* à temps à Toulouse.
S'il avait eu une muselière, ce chien *(ne pas mordre)* les passants.
En me laissant la clé, vous m'*(permettre)* de rentrer sans vous déranger.
Si le supermarché était ouvert, M. Lacroix *(pouvoir)* effectuer ses achats.

3 ▶ **Transformez ces phrases comme dans l'exemple et encadrez les verbes au présent du conditionnel.**

Quand on lui laissera la bride sur le cou, ce cheval galopera.
→ Si on lui laissait la bride sur le cou, ce cheval galoperait.

Quand l'obscurité s'installera, on confondra les couleurs.
Quand l'arbitre sifflera, nous nous arrêterons de jouer.
Quand on me fera des compliments, je rougirai.
Quand les conditions seront favorables, les avions décolleront.
Quand il fera chaud, vous prendrez une douche.
Quand je maîtriserai mon trac, je pourrai entamer la chanson.

4 ▶ **Copiez ces phrases en écrivant les verbes en gras au futur simple de l'indicatif ou au présent du conditionnel.**

Quand l'émission sera terminée, les téléspectateurs *(éteindre)* leur récepteur.
S'il y a des moustiques, nous *(fermer)* les fenêtres.
Si vous appliquiez un produit spécial, la tache *(disparaître)* instantanément.
Lorsque Jordi trouvera porte close, il *(rebrousser)* chemin.
Si Yann croyait aux prédictions, il *(lire)* son horoscope.
Dès que ce cosmonaute en aura la possibilité, il *(participer)* à un vol spatial.

RÉPONSES P. 140 ▶

▶ Le **subjonctif** permet d'exprimer une éventualité, un désir, un souhait, une attente, un doute, une crainte, un regret…, sans que l'on sache précisément si l'action est réelle ou non. Les verbes au **subjonctif** sont généralement inclus dans une subordonnée introduite par la conjonction *que*.

▶ Les quatre temps du **subjonctif** :

– le présent exprime aussi bien le futur que le présent ;

– l'imparfait marque un rapport de temporalité entre le verbe de la principale et le verbe de la subordonnée ;

– le passé exprime l'antériorité par rapport au présent ;

– le plus-que-parfait exprime l'antériorité par rapport à l'imparfait.

☞ **Présent** : Bien que la vitesse **soit** limitée, certains roulent vite.

☞ **Imparfait** : Bien que la vitesse **fût** limitée, certains roulaient vite.

☞ **Passé** : Bien que la vitesse **ait été** limitée, certains ont roulé vite.

☞ **Plus-que-parfait** : Bien que la vitesse **eût été** limitée, certains avaient roulé vite.

▶ Pour les verbes du 1er groupe, les terminaisons du **présent de l'indicatif** et du **présent du subjonctif** sont identiques pour les trois personnes du singulier et la 3e du pluriel.

▶ Aujourd'hui, l'**imparfait** et le **plus-que-parfait du subjonctif** ne se rencontrent plus que dans les textes littéraires.

Et pour en savoir plus…

On peut aussi employer le **subjonctif** : dans des **propositions indépendantes** ou des **propositions relatives.**

Que personne ne **sorte** !

Il n'y a qu'un hercule qui **puisse** soulever cette barre.

1 ▶ **Copiez ces phrases et écrivez les verbes en gras au présent du subjonctif.**

Il est souhaitable que tu ne *(perdre)* pas toutes tes affaires.
Il n'est pas exclu que l'astrologue *(convaincre)* les personnes crédules.
Il est fâcheux qu'il *(suffire)* d'un grain de sable pour tout gâcher.
Cette rédaction est trop longue ; il faut que je la *(raccourcir)*.
Il n'est pas surprenant que le public *(rire)* en écoutant ces histoires.
Pour que je *(choisir)* un lecteur MP3, je dois comparer les modèles.

2 ▶ **Transformez les phrases comme dans l'exemple.**

Vous vous coiffez à la mode. → Il faut que vous vous coiffiez à la mode.

Tu obtiens l'autorisation d'entrer. → Il serait étonnant … .
Mes parents vont au marché. → Il arrive que … .
Nous profitons du soleil. → Il est temps que … .
Avec l'âge, je m'enhardis. → Avec l'âge, il faut que … .
Vous réalisez vos rêves. → Il se peut que … .
Tu me rejoins. → Je tiens à ce que … .

3 ▶ **Copiez ces phrases et écrivez les verbes en gras au passé du subjonctif.**

Je suis étonné que vous *(accorder)* autant d'importance à un tel détail.
Il serait normal que l'accusé *(recourir)* aux services d'un avocat.
Les techniciens ont déploré que la fusée *(ne pas atteindre)* son orbite.
Il est dommage qu'Oscar *(retirer)* sa candidature pour cet emploi.
Avant de poser le papier peint, il faut que tu *(encoller)* les murs.
Bien qu'il *(prendre)* un solide repas, ce coureur souffre d'hypoglycémie.

4 ▶ **Transformez ces phrases en utilisant le temps du subjonctif qui convient.**

J'ai pris ce modèle parce qu'une retouche a été réalisée.
→ J'aurais pris ce modèle à condition qu'une retouche fût réalisée.

Le maire est sûr que le conseil municipal lui fait confiance.
Le maire souhaitait que … .
On est surpris parce qu'un bouquetin surgit au détour du sentier.
Il n'est pas impossible … .
Heureusement que le barrage retient les branches et les troncs d'arbres.
Il aurait fallu que le barrage … .

RÉPONSES P. 141

Le participe présent

et le participe passé

▶ Le **participe présent** exprime une action simultanée par rapport à l'action marquée par le verbe qu'il accompagne. Il est invariable.

▶ Le **participe passé** est employé dans tous les temps composés avec les auxiliaires *être* ou *avoir*.

☞ **Manifestant** leur joie, les spectateurs applaudissent.

☞ Les spectateurs ont **manifesté** leur joie.

▶ Le **participe présent** peut être employé comme **adjectif qualificatif épithète** ou **mis en apposition**.

▶ Le **participe passé** peut être employé comme **adjectif qualificatif épithète, attribut** ou **mis en apposition**.

Et pour en savoir plus...

 Il ne faut pas confondre le **participe passé** et l'**infinitif des verbes du 1er groupe** qui se terminent par le son [e].

Pour les distinguer, il faut essayer de remplacer le verbe du 1er groupe par un verbe du 3e groupe : oralement, on entend alors la différence.

Tu vas fermer (ouvrir) le portail.   Tu as fermé (ouvert) le portail.

Il ne faut pas confondre le **participe présent**, invariable, avec l'**adjectif verbal**, lui aussi terminé par *-ant*, qui s'accorde avec le nom qu'il qualifie.

Pour les distinguer, il faut essayer de remplacer le nom masculin par un nom féminin : oralement, on entend alors la différence.

Effrayant les enfants, ces monstres (ces sorcières) crachent du feu.

Ils redoutent la vue des monstres **effrayants** (des sorcières **effrayantes**).

Entraînement

---

1 ▶ **Copiez ces phrases et complétez avec le participe présent ou passé des verbes en gras.**

Nous admirons cette femme *(effectuer)* le tour du monde.
Le tournoi de Marseille est *(remporter)* par un joueur bien *(connaître)*.
Devez-vous croire ce mage vous *(promettre)* monts et merveilles ?
Sur deux cents candidats, cent dix ont été *(admettre)* à passer l'oral.
Le médecin prescrit un médicament au malade *(souffrir)* de la grippe.
La réduction *(consentir)* sur cet article est importante.

2 ▶ **Complétez avec des participes présents ou passés de votre choix.**

Savez-vous où se trouvent les morceaux de puzzle … les bords ?
… au soleil, ces fruits seront beaucoup plus savoureux.
L'arbitre, … la partie, mécontente les spectateurs et les joueurs !
… à des millions d'exemplaires, cette photographie a … le tour du monde.
L'appartement récemment … par la famille Gachet compte cinq pièces.
Les ossements … lors de ces fouilles appartenaient à un mammouth.

3 ▶ **Recopiez les phrases en remplaçant fait ou faire par un des verbes suivants que vous écrirez à l'infinitif ou au participe passé.**
effectuer – provoquer – fabriquer – rédiger – dessiner – décider

Morgane ne veut rien *faire* avant d'avoir étudié toutes les solutions.
La petite sœur de Steven a *fait* la maison de ses rêves.
L'ouragan a *fait* des dégâts considérables dans la forêt landaise.
Pour *faire* un violon, il faut des heures de patience à un luthier.
Pour *faire* un saut parfait, ce perchiste prend beaucoup d'élan.
Nathan a *fait* son rapport en utilisant un traitement de texte.

4 ▶ **Recopiez les phrases en remplaçant les noms en gras par ceux entre parenthèses. Accordez comme il convient.**

Ce nouveau *jeu* (console) électronique est très amusant.
Le *gâteau* (tarte) que tu viens de préparer est vraiment appétissant.
Ce *cavalier* (cavalière) débutant a du mal à maîtriser sa monture.
Ignorant les conseils, ce *skieur* (skieuse) sort de la piste balisée.
Surtout ne touchez pas ce *plat* (casserole) brûlant ; attendez une minute.
Quand il parle, ce vendeur utilise un *langage* (expressions) courant.
Gênant les piétons, ce *véhicule* (voitures) devra être déplacé.

RÉPONSES P. 141

employé avec l'auxiliaire être

▶ Le **participe passé** employé avec l'auxiliaire *être* s'accorde en genre et en nombre avec le sujet du verbe.

▶ Se conjuguent avec l'auxiliaire *être* certains **verbes intransitifs** exprimant un mouvement ou un changement d'état (*aller ; arriver ; partir ; rester ; tomber ; sortir ; entrer ; retourner ; venir...*), les **verbes pronominaux** et les **verbes à la voix passive**.

☞ Julien est tombé.

☞ Tes journaux sont arrivés.

☞ Fanny est entrée.

☞ Des places se sont libérées.

▶ Employé à un temps composé, le verbe **être** se conjugue avec l'auxiliaire **avoir** ; son **participe passé** est toujours **invariable**.

Ils ont **été** de bonne foi.
Nous avons **été** rassurés.

▶ Quelques verbes peuvent se conjuguer soit avec l'auxiliaire **être**, soit avec l'auxiliaire **avoir**, selon leur emploi (**intransitif** ou **transitif**).

Ils **sont passés** devant nous.
Ils **ont passé** un examen.

Et pour en savoir plus...

Le participe passé des **verbes pronominaux** s'accorde très souvent avec le sujet du verbe.

Les voyageurs se sont réfugiés sous l'abribus.

Le participe passé des **verbes occasionnellement pronominaux** s'accorde avec le COD quand celui-ci est placé avant le participe.

Éva s'est lavée.   COD : *s'* (Éva a lavé elle-même) → accord

Éva s'est lavé les dents.   COD : *les dents* → pas d'accord

Les dents qu'Éva s'est lavées brillent.   COD : *qu'* (les dents) → accord

Entraînement

1 ▶ **Copiez ces phrases en accordant les participes passés des verbes en gras.**

Avec la canicule, toutes les portes étaient *(fermer)* et les persiennes *(clore)*.
La hyène s'est *(acharner)* sur le cadavre de la malheureuse gazelle.
La doyenne de l'humanité est *(décéder)* à l'âge de cent vingt ans.
Cette jeune danseuse enchante le public ; une nouvelle étoile est *(naître)*.
La montgolfière ne s'est pas *(élever)* et elle est *(retomber)* immédiatement.
Sans l'installation de ces familles, ces hameaux seraient *(mourir)*.

2 ▶ **Copiez ces phrases en écrivant les verbes en gras au passé composé de l'indicatif.**

Les cosmonautes *(sortir)* dans l'espace pour réparer la station orbitale.
Nous *(aller)* sur la jetée pour assister au départ de la régate.
Les tableaux de ce peintre *(devenir)* des pièces de grande valeur.
Après une halte pour faire le plein, les autocars *(repartir)*.
Tu *(retourner)* au rayon « légumes » pour choisir des artichauts.
Les diplomates *(parvenir)* à un accord ; le traité entrera en vigueur.
Pour répéter sans gêner les voisins, ces musiciens *(s'isoler)*.

3 ▶ **Copiez ces phrases en remplaçant les sujets par chacun des sujets proposés et en conservant les temps.**

Le nouveau disque de Bénabar **est arrivé ;** *Charly* **s'est précipité.**

La collection d'été …   Sophie …
De nouveaux logiciels …   les amateurs …

Le sentier **était mal balisé et** *tu* **es retourné sur tes pas.**

Les itinéraires …   et les randonneurs …
Les voies …   et Jeanne …

4 ▶ **Copiez ces phrases en accordant les verbes en gras au passé composé de l'indicatif. Soulignez les COD.**

Les prévisions météorologiques *(se révéler)* exactes.
Ce candidat *(se désister)* en faveur de son concurrent, mieux placé.
Parlant la langue du pays avec un fort accent, les espions *(se trahir)*.
Au fil des brocantes, Emma *(se constituer)* une collection de poupées.
À l'issue de la partie, les deux joueurs *(se serrer)* la main.
Les ouvriers *(s'accorder)* un temps de pause pour manger un sandwich.

RÉPONSES P. 142 ▷

> ▶ Le **participe passé** employé avec l'auxiliaire *avoir* ne s'accorde jamais avec le sujet du verbe.

> ▶ Le **participe passé** employé avec l'auxiliaire *avoir* s'accorde avec le complément d'objet direct (COD) si celui-ci est placé avant le participe passé.

Exemples

☞ Le journaliste a démenti l'information. Les journalistes ont démenti l'information.

☞ L'information était fausse ; le journaliste l'a démenti**e**.
L'information était fausse ; les journalistes l'ont démenti**e**.

▶ Lorsqu'il est placé **devant le participe passé**, le **COD** est le plus souvent un **pronom** qui ne nous renseigne pas toujours sur le genre ou le nombre. Il faut donc chercher le nom que remplace le pronom pour bien accorder le participe passé.

– Pronom personnel : L'émission paraissait intéressante, je **l'**ai regardé**e**.
→ *l'* mis pour *l'émission*

– Pronom relatif : Vous regardez l'émission **que** je vous ai recommandé**e**.
→ *que* mis pour *l'émission*

Et pour en savoir plus...

Il ne faut pas confondre le **complément d'objet indirect** (COI), qui peut être placé avant le participe passé, et le **COD**.
Les spectateurs ont applaudi ; la pièce leur a plu.
La pièce a plu à qui ? à ***leur*** (mis pour *les spectateurs*) → COI

Le participe passé *fait* suivi d'un infinitif est toujours **invariable**.
Nous admirons les tableaux que tu as **fait** encadrer.

Précédé du pronom *en*, le participe passé est **invariable**.
Des hivers rigoureux, les trappeurs en ont **vécu** de nombreux.

 Entraînement

1 ▷ **Copiez ces phrases en accordant, si nécessaire, les participes passés des verbes en gras.**

Cathy aurait **(vouloir)** retirer de l'argent, mais elle a **(oublier)** son code.

Les touristes ont **(quitter)** les Bahamas avant le passage du cyclone.

La guirlande électrique que vous avez **(placer)** sur le sapin clignote.

Les pièces de la maison que M. Xavier a **(faire)** isoler restent fraîches.

Ces coureurs ont **(battre)** le record du monde du relais 4 × 100 mètres.

La statue que les employés ont **(installer)** provient d'une donation.

2 ▷ **Copiez ces phrases en écrivant les verbes en gras au passé composé.**

Les allées de la galerie marchande, je les **(parcourir)** de long en large.

Ces moutons grillés, l'ogre les **(engloutir)** en trois bouchées.

Les erreurs que tu **(savoir)** trouver, tu les **(corriger)** immédiatement.

Mélissa **(recueillir)** les confidences de son amie Ingrid.

Les deux chiffres que tu **(inverser)** **(fausser)** le résultat de l'opération.

Ses cartes de visite, M. Pisani les **(faire)** imprimer avant les fêtes.

3 ▷ **Sans changer de temps, répondez à ces questions en utilisant des pronoms personnels. Vous encadrerez ceux qui sont COD.**

As-tu plié les vêtements ?	Non, je … .
Les convives ont-ils apprécié cette tarte ?	Oui, ils … .
Le déménageur a-t-il déchargé les meubles ?	Non, il … .
Avez-vous reçu votre commande ?	Non, nous … .
Le candidat a-t-il répondu aux examinateurs ?	Oui, il … .

4 ▷ **Copiez le texte en accordant, si nécessaire, les participes passés des verbes en gras.**

J'avais déjà **(commencer)** à manger lorsqu'il est **(entrer)** une bizarre petite femme qui m'a **(demander)** si elle pouvait s'asseoir à ma table. […] Elle a **(appeler)** Céleste et a **(commander)** immédiatement tous ses plats d'une voix à la fois précise et précipitée. En attendant les hors-d'œuvre, elle a **(ouvrir)** son sac, en a **(sortir)** un petit carré de papier et un crayon, a **(faire)** d'avance l'addition, puis a **(tirer)** d'un gousset, **(augmenter)** du pourboire, la somme exacte qu'elle a **(placer)** devant elle. À ce moment, on lui a **(apporter)** des hors-d'œuvre qu'elle a **(engloutir)** à toute vitesse.

Albert Camus, *L'Étranger*, © Éditions Gallimard.

RÉPONSES P. 143

48 La concordance des temps

> Lorsque le verbe d'une **subordonnée circonstancielle de condition** est au présent de l'indicatif, le verbe de la **principale** est au futur simple de l'indicatif.

Lorsque le verbe d'une **subordonnée circonstancielle de condition** est à l'imparfait de l'indicatif, le verbe de la **principale** est au présent du conditionnel.

> Il est parfois difficile de choisir le mode – indicatif ou subjonctif – du verbe de la **subordonnée complétive** ; cela dépend du verbe de la principale, de la forme de ce verbe ou de la conjonction de subordination.

> Dans certaines **subordonnées relatives**, c'est le sens voulu par celui qui écrit (ou qui parle) qui détermine l'emploi de l'indicatif ou du subjonctif.

Exemples

☞ Si la rue **est** barrée, nous **emprunterons** la déviation.
    présent de l'ind.   futur simple

Si la rue **était** barrée, nous **emprunterions** la déviation.
  imparfait de l'ind.   présent du cond.

☞ Il pense que les pompiers **interviendront**.   → indicatif
Il doute que les pompiers **interviennent**.   → subjonctif

☞ Je choisirai un meuble qui **tient** dans ma chambre. → indicatif
Ce meuble existe et je le prendrai.

> À l'indicatif, les temps composés de la **subordonnée** expriment une action **antérieure** (ou **simultanée**) à celle du verbe de la **principale**.

Lorsque le train **est arrivé**, les voyageurs **sont montés**.

Et pour en savoir plus...

Dans une **subordonnée circonstancielle de condition**, le verbe n'est jamais au conditionnel.

Entraînement

1 ▶ Copiez ces phrases en écrivant les verbes en gras au temps composé de l'indicatif qui convient.

Le commissaire de police relisait les témoignages qu'il *(recueillir)*.

Dès que tu *(essuyer)* les meubles du séjour, tu passeras l'aspirateur.

Après qu'il *(prendre)* une profonde inspiration, le sauteur s'élança.

J'ai enfin retrouvé les photographies que j'*(égarer)*.

Quand Mathias *(écouter)* notre message, il nous répondra peut-être.

Les examens des bagages contredisent ce que Marco *(déclarer)* au douanier.

Lorsque tout *(s'éteindre)* dans la maison, nous avons maudit la panne.

2 ▶ Copiez ces phrases en écrivant les verbes en gras au futur simple de l'indicatif ou au présent du conditionnel.

Si vous réservez vos places, vous n'*(avoir)* pas besoin d'arriver en avance.

Si M. Samir ne jouait pas à la Bourse, il n'*(engloutir)* pas ses économies.

Si nous avions le plan de la région, nous *(retrouver)* notre route.

Si vous allez au soleil, vous vous *(protéger)* la peau avec une crème.

Si le temps se lève, la moissonneuse-batteuse *(pouvoir)* entrer en action.

Si nous changions de chaîne, nous *(voir)* un film comique américain.

3 ▶ Copiez ces phrases en écrivant les verbes en gras au présent de l'indicatif ou au présent du subjonctif.

Tes parents *(faire)* des sacrifices pour que tu *(entreprendre)* ces études.

(Pouvoir)-vous confirmer votre commande afin que nous l'*(enregistrer)* ?

Mélanie nous *(quitter)* parce qu'elle *(avoir)* un rendez-vous urgent.

Le vendeur *(faire)* le nécessaire pour que le client *(repartir)* satisfait.

Il *(être)* vraiment dommage que ce tableau ne te *(plaire)* pas.

Les techniciens du centre spatial *(douter)* que la fusée *(parvenir)* à décoller.

4 ▶ Copiez les phrases en écrivant les verbes en gras au présent de l'indicatif ou au présent du subjonctif, selon le sens.

Surpris par le déclenchement de l'alarme, le voleur *(s'enfuir)*.

Le gibier échappera aux chasseurs pour peu qu'il *(s'enfuir)*.

On admet que ce billet à prix réduit *(exclure)* tout échange.

Il est possible que l'arbitre *(exclure)* le joueur indiscipliné.

Tu es certain que ton petit cousin *(croire)* encore au Père Noël.

Je regrette vraiment que Jean-Bernard ne me *(croire)* pas.

RÉPONSES P. 144

49 Les styles direct, indirect et indirect libre

▶ Le **style direct** rapporte les propos tels qu'ils ont été prononcés. Ils sont introduits par un verbe de parole (*dire, déclarer, affirmer*...) et nettement délimités par la ponctuation (deux-points, guillemets, tirets).

▶ Le **style indirect** rapporte les propos sans rupture. Ils sont également introduits par un verbe de parole, généralement suivi d'une proposition subordonnée complétive introduite par *que*.

▶ Le **style indirect libre** rapporte les propos dans des propositions indépendantes sans verbe introducteur ni conjonction de subordination.

Exemples

 Style direct : Elsa répondit : « Je te remercie de ton invitation. »

 Style indirect : Elsa répondit qu'elle te remerciait de ton invitation.

 Style indirect libre : Elsa t'adressa ses remerciements pour ton invitation.

▶ Dans les propositions interrogatives **indirectes**, les mots interrogatifs restent les mêmes qu'au **style direct** mais il n'y a pas d'inversion du sujet, ni de point d'interrogation.

Je demande : « **Où** est-elle ? »
Je demande **où** elle est.

▶ Le pronom interrogatif *que* devient *ce que*. Je demande :
« **Que** veux-tu ? »
Je demande **ce que** tu veux.

▶ Le passage du **style direct** au **style indirect** peut s'accompagner de changements de modes, de temps, de personnes.

Ernest a affirmé : « Je **recharge** la batterie de **mon** ordinateur. »
Ernest a affirmé qu'il **rechargeait** la batterie de **son** ordinateur.

Entraînement

1 ▶ Transformez ces phrases de style direct en style indirect.

Sylvia m'a dit : « Je ne pourrai pas t'accompagner au théâtre. »
Justin signale à Kader : « Tes SMS sont totalement incompréhensibles. »
Tous les passagers pensent : « L'atterrissage devrait bien se passer. »
Ursula affirme : « Je n'ai jamais vu un danseur aussi gracieux. »
Florent m'apprend tout joyeux : « J'ai gagné le gros lot de la tombola. »
Mon frère rappela : « Les portes du stade n'ouvriront qu'à quinze heures. »
Robin avoue : « Je n'ai jamais pu retenir le titre de ce film. »

2 ▶ Transformez ces phrases de style indirect en style direct.

L'entraîneur s'adresse aux gymnastes pour qu'ils maîtrisent leurs gestes.
La caissière demande au client comment il compte régler ses achats.
Cet acteur répète sans cesse que le texte de son rôle l'intéresse beaucoup.
François me confirme qu'il est en mesure de nous accueillir chez lui.
Le présentateur annonce que le président interviendra dans cinq minutes.
L'office du tourisme précise que le tournoi de golf aura bien lieu.

3 ▶ Transformez ces ordres de style direct en style indirect.

Tiens les promesses que tu m'as faites.
→ Il convient que tu tiennes les promesses que tu m'as faites.

N'immobilise pas ton véhicule sur le trottoir.	→ Il ne faut pas … .
Évitez de respirer les vapeurs d'essence.	→ Il faut … .
Abonnons-nous à ce magazine de décoration.	→ Il serait bon … .
Rappelle ce numéro de téléphone.	→ Il est urgent … .
Essaie de convaincre les hésitants.	→ Il serait opportun … .
Rejoins-moi au bord du lac d'Annecy.	→ Il me tarde … .
Improvise ton rôle dans cette comédie.	→ Je suis d'avis … .
Attendez devant les caisses.	→ Il se peut que … .

4 ▶ Transformez ces phrases de style indirect libre en style direct.

Le boucher s'adressa à la cliente et lui conseilla de prendre un rôti de veau.
Le guide propose de porter lui-même le sac de l'alpiniste en difficulté.
Mathilde se plaint de la fatigue que lui occasionne son travail.
Le médecin remet l'ordonnance au malade et lui conseille de la respecter.
César peste contre le sort qui lui attribue de mauvaises cartes.
La cuisinière posa le plat sur la table et souhaita un bon appétit à tous.

RÉPONSES P. 145 ▷

Selon les destinataires de nos paroles et de nos écrits, le **niveau de langue** que nous employons varie.

▶ Le **niveau de langue soutenu** exige un respect strict des règles de grammaire et une grande diversité dans le choix des mots et des tournures. C'est le niveau de langue de la plupart des œuvres littéraires et de la correspondance administrative ou officielle.

▶ Le **niveau de langue courant** s'emploie dans la vie quotidienne avec des personnes qui nous sont peu familières. Le vocabulaire et la syntaxe sont corrects.

▶ Le **niveau de langue familier** s'utilise spontanément avec des personnes de notre entourage. Rarement écrite, cette langue présente des approximations, un vocabulaire particulier et de nombreuses élisions ou omissions.

Exemples

☞ **Niveau soutenu** : Pourrais-tu me prêter tes mocassins ?

☞ **Niveau courant** : Tu me prêtes tes chaussures ?

☞ **Niveau familier** : Tu m'passes tes godasses ?

▶ L'omission de la première partie de la négation relève d'un **niveau de langue courant**, voire relâché.

Cet étang est guère profond.

Et pour en savoir plus...

Il existe des termes et des tournures propres à des groupes de personnes qui exercent la même profession ou qui demeurent en des mêmes régions ou ont des centres d'intérêt communs.

Les marins tirent des bords.   Le notaire conserve ses minutes.

Il existe une **langue argotique** au lexique bien spécifique.

Tu m'files tes pompes ?

1 ▶ Indiquez, entre parenthèses, à quel niveau de langue appartiennent chacune de ces phrases.

Dès que nous fûmes désaltérés, nous partîmes.
Les tours du château fort dominent la vallée de la Grosne.
Je vous prie de croire en l'expression de mes meilleurs sentiments.
Le médecin est venu soigner le grand-père de Blandine.
Y zont changé le programme au dernier moment, sans rien dire.

2 ▶ Écrivez ces phrases en langue courante.

Cette personne est d'humeur acariâtre lorsqu'elle est importunée.
Un éclair déchire le ciel et un roulement lugubre assourdit nos tympans.
Cette chasuble gagnerait à s'assortir avec une parure de diamants.
Vos arguments sont pertinents et je suivrai vos conseils en tout point.
Les résidents de l'immeuble délibèrent à propos de la rémunération du gardien.

3 ▶ Écrivez ces phrases en langue courante.

Qui c'est qui a pris ma place de parking ?
À la fête, y'a un monde fou et on s'y perd facilement.
En v'là un qui n'a pas perdu de temps pour finir son assiette.
Avec ce boucan, on ne pige pas un mot de ce que vous dites.
Pour ouvrir la porte, y'a qu'à trouver la clé qui va.

4 ▶ Ce texte est écrit dans une langue un peu particulière. Traduisez-le dans une langue courante.

En bon fils affectueux que je suis, je décide de profiter de mon escapade à Pantruche pour aller bisouiller ma brave Félicie. Ne jamais perdre une occase de faire plaisir à sa vieille, les gars, jamais. Des connards galonnés apprennent aux jeunes recrues que la patrie c'est leur mère ; j'démens vigoureusement, je les attaque en blasphémation, je leur dénie le droit d'oser propager une pareille image. C'est la mère qui est notre vraie patrie. Manque de bol : m'man n'est pas à la maison. Notre vieille femme de ménage, la pleureuse à part entière, fait les vitres, juchée sur un escabeau. Elle m'explique que Félicie est allée faire des courses à Paname, puis, rapidos, la voilà qui se met à chialer du haut de son perchoir. Il lui arrive toujours de nouvelles tuiles à cette pauvre femme.

Frédéric Dard, « San-Antonio », Bravo, docteur Béru !, Fleuve noir, 1968.

RÉPONSES P. 146

Réponses

① Les différents types de phrases (p. 7)

1 ▶ *Aucune ambiguïté : la nature des points induit les réponses. Nous n'avons pas placé de phrases de type impératif, puisqu'elles peuvent se terminer par un simple point ou un point d'exclamation.*

Manger une tartine de beurre frais, quel régal ! (exclamatif) — Les tortues de mer viennent pondre sur le sable. (déclaratif) — Des milliers de motards se sont donné rendez-vous à Montlhéry ! (exclamatif) — Ce tiroir est plein de vieilles breloques sans aucune valeur. (déclaratif) — Avez-vous été averti de la suppression du vol pour Barcelone ? (interrogatif) — Mohamed se dirige à tâtons dans les ténèbres. (déclaratif) — Le spectacle fut de toute beauté ; quel triomphe pour le chanteur ! (exclamatif) — Le vent efface les traces de pas ; comment retrouver le chemin ? (interrogatif)

2 ▶ *Les réponses ne sont que des exemples puisque d'autres constructions sont possibles.*

Les caisses du supermarché sont-elles équipées de lecteurs d'étiquettes ? — Est-ce que les trompettistes doivent posséder un souffle exceptionnel ? — La surface du terrain de rugby est-elle égale à celle d'un terrain de football ? — Est-ce que le maître nageur surveille le bassin de natation ? — Est-ce que la soirée se déroule dans une ambiance de fête ? — Vous êtes-vous trompés en remplissant la grille de mots croisés ?

3 ▶ Les vitrines des magasins sont décorées pour Noël ! — Quel bruit fort désagréable émet cette sonnette ! — Comme le résultat de cette partie est inattendu ! — Avec cette lessive, le linge est d'un blanc immaculé ! — À quelle vitesse fantastique les plantes tropicales poussent-elles ! (À quelle vitesse fantastique poussent les plantes tropicales !) — Ces sièges offrent un confort de qualité !

4 ▶ Cherche ton agenda dans tous les tiroirs. — Remettez les lettres dans l'ordre pour composer un mot. — Vérifions la pression des pneus avant de partir. — Garde-toi de marcher dans les orties avec les jambes nues ! — Accordez-vous une petite pause avant de continuer le travail. — Ne t'avoue pas vaincue face à la difficulté !

② Les différentes formes (p. 9)

Avant d'aborder ce chapitre, on reviendra sur les quatre types de phrases (chapitre 1).
Dans beaucoup d'ouvrages (et parfois dans les programmes scolaires…), on confond les types de phrases avec les différentes formes.
Les types de phrases sont exclusifs les uns des autres, mais une phrase déclarative, exclamative, impérative ou interrogative peut être à la forme affirmative ou négative.
Quant à la forme pronominale (que nous avons placée ici peut-être un peu abusivement), elle est en rapport avec le verbe.

Réponses

1 ▶ Quand je nage plus de deux cents mètres, je suis fatiguée. — J'écoute toujours de la musique folklorique. — Ce champ situé en lisière de la forêt produit beaucoup de céréales. — Vous bouclerez votre ceinture de sécurité dans l'autocar. — Les prix des produits pétroliers augmentent encore. — Les fusées du feu d'artifice éclatent dans la nuit. — Kamel comprend tout, et pourtant la lettre est écrite en anglais. — Laissé hors du réfrigérateur, le lait tournera en quelques jours.

2 ▶ Je **n'**ai **jamais** sauté en parachute. — **Personne n'a jamais** posé le pied sur Mars. — Je **ne** connais **ni** son adresse **ni** son numéro de téléphone. — Il **n'**a **pas toujours** raison. — Elle **ne** s'est dissipée **nulle part**. — Ils **n'**ont **pas** tous été moissonnés. — Tout le monde **ne** peut **pas** entrer dans ce local. — Il **n'**a **pas** réponse à tout. — Il **n'**est **ni** sous-titré **ni** doublé en français.

3 ▶ je me plains du bruit ; tu te plains ; il/elle se plaint ; nous nous plaignons ; vous vous plaignez ; ils/elles se plaignent / je me suis plaint(e) du bruit ; tu t'es plaint(e) ; il/elle s'est plaint(e) ; nous nous sommes plaint(e)s ; vous vous êtes plaint(e)s ; ils/elles se sont plaint(e)s — je me dirige vers la sortie ; tu te diriges ; il/elle se dirige ; nous nous dirigeons ; vous vous dirigez ; ils/elles se dirigent / je me suis dirigé(e) vers la sortie ; tu t'es dirigé(e) ; il/elle s'est dirigé(e) ; nous nous sommes dirigé(e)s ; vous vous êtes dirigé(e)s ; ils/elles se sont dirigé(e)s — je me perds dans la vieille ville ; tu te perds ; il/elle se perd ; nous nous perdons ; vous vous perdez ; ils/elles se perdent / je me suis perdu(e) dans la vieille ville ; tu t'es perdu(e) ; il/elle s'est perdu(e) ; nous nous sommes perdu(e)s ; vous vous êtes perdu(e)s ; ils/elles se sont perdu(e)s — je m'arrête de fumer ; tu t'arrêtes ; il/elle s'arrête ; nous nous arrêtons ; vous vous arrêtez ; ils/elles s'arrêtent / je me suis arrêté(e) de fumer ; tu t'es arrêté(e) ; il/elle s'est arrêté(e) ; nous nous sommes arrêté(e)s ; vous vous êtes arrêté(e)s ; ils/elles se sont arrêté(e)s — je m'envole pour l'Amérique ; tu t'envoles ; il/elle s'envole ; nous nous envolons ; vous vous envolez ; ils/elles s'envolent / je me suis envolé(e) pour l'Amérique ; tu t'es envolé(e) ; il/elle s'est envolé(e) ; nous nous sommes envolé(e)s ; vous vous êtes envolé(e)s ; ils/elles se sont envolé(e)s — je me bouche les oreilles ; tu te bouches ; il/elle se bouche ; nous nous bouchons ; vous vous bouchez ; ils/elles se bouchent / je me suis bouché les oreilles ; tu t'es bouché ; il/elle s'est bouché ; nous nous sommes bouché ; vous vous êtes bouché ; ils/elles se sont bouché

4 ▶ L'infirmière se dévoue pour apporter du réconfort aux malades. — Je vous rends les cent euros que vous m'aviez prêtés. — Les touristes s'émerveillent devant les chutes du Niagara. — Tu nous aides à déménager et tu te charges des caisses de livres. — Cet auvent vous abritera de la pluie ; prenez-en soin. — Lionel m'indique où se trouve la rue des Tilleuls. — Pour faire disparaître ces taches de cambouis, lave-toi avec ce produit.

3 La ponctuation (1) (p. 11)

> *Ce chapitre est important. Une ponctuation correcte participe de la rigueur qui doit présider à toute production d'écrits puisqu'elle donne de précieuses indications pour la lecture.*
> *On notera que ce n'est qu'au IXe siècle que l'on commença à placer la ponctuation, même si quelques grammairiens grecs avaient déjà pensé à employer de tels signes. Auparavant, les mots n'étaient pas séparés les uns des autres, ou bien ils étaient tous séparés par des points.*
> *À partir du XVIe siècle, en liaison avec le développement de l'imprimerie, le système de ponctuation que nous utilisons s'est progressivement mis en place.*

1 ▶ ***Il n'y a pas d'ambiguïté quant au choix entre les différents types de points : l'inversion du sujet permet de repérer facilement les phrases interrogatives.***
À votre avis, l'éléphant est-il herbivore ou carnivore ? — M. Sarda ramone sa cheminée ; quelle besogne salissante ! — Retranchés devant leur but, les Marseillais obtiendront-ils le match nul ? — Surtout ne sortez pas un paquet de cigarettes dans un cinéma ! — Mes propos sont des plus sérieux : ne riez pas ! — Dans quelle case faut-il mettre la réponse ? — Les bretelles de Michel font l'admiration de ses amis. — N'allez surtout pas sur un chantier de construction sans casque ! — Le badminton est un sport qui exige d'excellents réflexes.

2 ▶ La publicité envahit le petit écran ; elle interrompt même les films. — La planète se réchauffe ; la banquise fond d'année en année. — La braderie de Lille débute aujourd'hui ; la foule est déjà compacte. — La bouteille d'eau est vide ; en voulez-vous une autre ? — Ce cabanon semble abandonné ; son toit est en piteux état.

3 ▶ Dans cette entreprise, chacun porte un badge autour du cou. — Au soir de la bataille de Solferino, Henri Dunant fonda la Croix-Rouge. — Le bateau, secoué par les vagues, s'efforce de regagner le port. — À la station Châtelet, vous changerez de métro. — Richard, pour consulter sa messagerie, se connecte à Internet. — Pinocchio, le Petit Poucet, le Chat botté sont des héros de contes.

4 ▶ ***Nous avons respecté la ponctuation de Romain Gary ; il est possible de s'en écarter quelque peu, dans la dernière phrase notamment.***
J'ai gardé, de mon premier contact avec la France, le souvenir d'un porteur à la gare de Nice, avec sa longue blouse bleue, sa casquette, ses lanières de cuir et un teint prospère, fait de soleil, d'air marin et de bon vin.
La tenue des porteurs français est à peu près la même aujourd'hui et, à chacun de mes retours dans le Midi, je retrouve cet ami d'enfance.
Nous lui confiâmes notre coffre, lequel contenant notre avenir, c'est-à-dire la fameuse argenterie russe, dont la vente devait assurer notre prospérité au cours des quelques années qu'il me fallait encore pour me retourner et prendre les choses en main.

Romain Gary, *La Promesse de l'aube*, © Éditions Gallimard, 1960.

Réponses

4 La ponctuation (2) (p. 13)

1 ▶ *La présence des majuscules indique l'endroit où placer les deux-points et l'ouverture des guillemets.*
À noter que le point final est placé à l'intérieur des guillemets puisqu'il s'agit de paroles rapportées.
Cet astronome déclare : « La vie existe peut-être sur Mars. » — Le professeur commence toujours sa leçon ainsi : « Prenez votre livre. » — Le douanier nous interroge : « Avez-vous des marchandises à déclarer ? » — Le chef de gare est rassurant : « Le train partira à l'heure prévue. » — Le plombier conseille son apprenti : « Tiens ton chalumeau plus fermement ! » — Marie avoue avec un grand sourire : « J'adore les macarons ! » — Raphaël l'admet volontiers : « Je n'aurais pas dû répondre aussi vite. » — L'entraîneur nous encourage : « Encore un tour de piste et vous vous reposerez. »

2 ▶ L'hôtesse de l'air prend le micro : « Maintenant, attachez vos ceintures ! » — Le client interroge le vendeur : « Quel est le prix de cette machine à laver ? » — Juliette l'admet volontiers : « Jamais je n'aurais dû oublier mon bonnet ! » — M. Béatrix l'avoue timidement : « J'ai un faible pour le chocolat… » — Le cavalier murmure à l'oreille de son cheval : « Tout doux, Perceval ! » — Le conteur entame son récit : « En ce temps-là, la paix régnait… » — Violaine manifeste son désaccord : « Jamais je ne vous suivrai sur cette voie. »

3 ▶ Tiphaine m'interroge : « Connais-tu l'adresse de Sandra ? » — Le guide s'inquiète pour toi : « As-tu bien fixé tes crampons ? » — Ne touchez pas à ce champignon : c'est du poison ! — Décontenancée Anita bafouilla : « Pourquoi n'irais-je pas avec vous ? » — L'edelweiss, plante protégée, est aussi appelé « immortelle des neiges ».

4 ▶ *Pour la 4ᵉ phrase, on peut placer un point-virgule, deux-points ou une simple virgule.*
Les fêtes de fin d'année approchent : les rues de la ville sont illuminées. — Avant l'apparition des tracteurs, les bœufs tiraient les charrues. — Le médecin rassure le sportif : « Vous rejouerez dans vingt-cinq jours ! » — Vous pouvez avoir confiance en moi ; (*ou* , *ou* :) jamais je ne dévoilerai ce secret. — Le suspense est à son comble : Daisy sera-t-elle élue déléguée de classe ? — L'ADN, acide désoxyribonucléique, est le support de notre hérédité. — Si je le pouvais, je ferais le tour de l'Europe : je visiterais les capitales.

5 Les noms (p. 15)

La terminaison, ainsi que certains déterminants sont des indices peu fiables pour déterminer le genre.
Pour les exercices de ce chapitre, on révisera, avec profit, les règles de formation du féminin et du pluriel des noms.

1 ▶ Chaque <u>jour</u>, je vais jusqu'au <u>rivage</u>. Il faut traverser les <u>champs</u> ; les <u>cannes</u> sont si hautes que je vais à l'aveuglette, courant le <u>long</u> des <u>chemins</u> de <u>coupe</u>, quelquefois perdu au milieu des <u>feuilles</u> coupantes. Là, je n'entends plus la <u>mer</u>. Le <u>soleil</u> de la <u>fin</u> de l'<u>hiver</u> brûle, étouffe les <u>bruits</u>. Quand je suis tout près du <u>rivage</u>, je le sens parce que l'<u>air</u> devient lourd, immobile, chargé de <u>mouches</u>. Au-dessus, le <u>ciel</u> est bleu, tendu, sans <u>oiseaux</u>, aveuglant. Dans la <u>terre</u> rouge et poussiéreuse, j'enfonce jusqu'aux <u>chevilles</u>.

J.-M. G. Le Clézio, Le Chercheur d'or, © Éditions Gallimard, 1985.

2 ▶ *Le recours au dictionnaire paraît indispensable en cas de doute.*
un détroit ; **une** idole ; **une** antilope ; **un** rail ; **un** réveil ; **un** hymne ; **une** artère ; **une** paille ; **une** bouteille ; **une** idylle ; **une** guérison ; **une** oasis ; **un** emblème ; **un** pétale ; **un** hérisson ; **un** myosotis ; **une** espèce ; **un** tissu ; **une** vertu ; **un** barbare ; **un** ciseau ; **une** peau ; **un** renvoi ; **une** fanfare

3 ▶ **une** musicienne ; **une** inspectrice ; **une** nageuse ; une ouvrière ; **une** copine ; **une** tricheuse ; **une** cavalière ; **une** cane ; **une** nièce ; **une** femme ; **une** figurante ; **une** actrice ; **une** championne ; **une** monitrice ; **une** reine ; **une** Lyonnaise ; **une** Allemande ; **une** Brésilienne ; **une** Algérienne ; **une** Libanaise ; **une** Niçoise

4 ▶ **des** camions ; **des** tribunaux ; **des** échecs ; **les** vitraux ; **des** cadeaux ; **des** bancs ; **des** portails ; **des** aveux ; **des** locaux ; **des** clous ; **des** œufs ; **des** yeux ; **les** bijoux ; **des** canaux ; **des** bals ; **les** parois ; **des** choux ; **des** drapeaux

6 Les articles (p. 17)

1 ▶ *Seule difficulté : un grand nombre de femmes. Si l'on veut être rigoureux, le complément du collectif* un grand nombre *ne prend pas d'article puisqu'il est partitif. Il n'est article que s'il englobe la totalité. Exemple :* la foule des femmes.
Néanmoins, on peut tout à fait tolérer comme exact le soulignement « de ».
À Cordoue, vers <u>le</u> coucher <u>du</u> soleil, il y a quantité d'oisifs sur <u>le</u> quai qui borde <u>la</u> rive droite <u>du</u> Guadalquivir. Là, on respire <u>les</u> émanations d'<u>une</u> tannerie qui conserve encore l'antique renommée <u>du</u> pays pour <u>la</u> préparation <u>des</u> cuirs ; mais, en revanche, on y jouit <u>d'</u>un spectacle qui a bien son mérite. Quelques minutes avant l'angélus, <u>un</u> grand nombre de femmes se rassemblent sur <u>le</u> bord <u>du</u> fleuve, au bas <u>du</u> quai, lequel est assez élevé. Pas <u>un</u> homme n'oserait se mêler à cette troupe.

Prosper Mérimée, Carmen, 1845.

2 ▶ *Les articles définis partitifs sont les plus difficiles à repérer.*
<u>Les</u> pigeons envahissent <u>le</u> jardin public <u>du</u> quartier. — Tout <u>au</u> long <u>du</u> parcours, <u>la</u> foule acclame <u>les</u> coureurs. — <u>La</u> météo prévoit une amélioration <u>du</u> temps dans <u>la</u> matinée. — <u>Le</u> Club des anciens organise un concours de pétanque. — Dans <u>les</u> usines, <u>les</u> robots

travaillent à la place des hommes. — À la première sonnerie, Maggy bondit sur le téléphone. — Les singes s'accrochent aux branches et réjouissent les visiteurs du zoo.

3 ▶ **Le** jour de l'examen, **les** candidats ont **la** gorge nouée par **le** trac. — **Les** hirondelles rasent **la** surface de l'étang à **la** poursuite de moucherons. — **Le** bébé dort avec **un** ours en peluche dans **les** bras. — **Les** journalistes posent **des** questions **au** ministre de **la** Santé. — **Les** rayons **du** soleil dissipent **les** dernières nappes de brouillard. — Nous faisons **le** détour pour éviter **le** chantier de pose **des** canalisations.

4 ▶ **La** première neige de l'année tomba en abondance vers **la** fin de novembre. C'était **une** apparition précoce qui entraîna **le** Haut-Pays et presque tout **le** Sud dans **un** hiver sans précédent : pression inouïe **du** silence, calfeutrant de son étoupe **de** sang **le** fond **des** oreilles ; hameaux reclus ; bâtiments isolés ne perdant plus leurs bruits ; aurores boréales collées contre **les** vitres resplendissantes **de** givre ; nuits volatiles comme de l'éther, irrespirables. Et **un** long glissement **des** heures à l'intérieur **des** cours ensevelies où ne sautillait plus aucun oiseau.

Jean Carrière, *L'Épervier de Maheux*, 1972, DR.

7 Les déterminants possessifs (p. 19)

1 ▶ *L'examen du contexte est indispensable pour trouver la personne du déterminant possessif.*
Il serait bon que tu lui retrouves **sa** clé. — Je suis mécontent car j'ai raté **ma** correspondance. — Avez-vous payé **vos** achats avec **votre** carte bancaire ? — M. Berry essaie vainement de réchauffer **sa** main gelée. — Ces enfants brossent **leurs** dents trois fois par jour. — Cette énigme a piqué **ta** curiosité et tu réfléchis longuement. — Dans **notre** situation, nous n'avons pas le choix : il faut réagir. — Avec cet appareil, M. Talbot contrôle lui-même **son** pouls.

2 ▶ **tes** timbres — **son** fanion — **nos** secrets — **leur** peur — **mon** ordinateur

3 ▶ les photographies qu'il prend en vacances ; la carte qui nous vient de la banque ; le bateau qu'ils utilisent pour la pêche ; le vélo avec lequel il court ; la bague qu'elle/il a eue pour marquer ses fiançailles ; le blouson en cuir que tu portes ; les soldats de plomb que je collectionne ; les cordes vocales qui leur permettent de parler ; la date qui marque ta naissance ; la cicatrice que vous vous êtes faite au front

4 ▶ *Incidemment, on peut faire remarquer que le nom tentacule est du genre masculin, bien que le déterminant possessif ne marque pas le genre dans cette phrase.*
[...] calmer **leur** impatience ? — [...] on peut **leur** faire confiance. — Les mines de fer de Lorraine ont fermé **leurs** puits [...]. — Les chalets ont **leurs** toits couverts [...]. —

Les pieuvres déploient **leurs** tentacules [...] ! — [...] le potier qui **leur** présente son métier. — [...] soin de **leur** masque et de **leurs** palmes. — [...] des traîneaux qui **leur** permettent de se déplacer.

8 Les déterminants démonstratifs (p. 21)

1 ▶ **cette** vallée ; **cette** lagune ; **ce** modèle ; **ces** manières ; **cet** album ; **ces** étoiles ; **cette** antenne ; **ce** bateau ; **cet** ordinateur ; **ces** cheveux ; **cet** œil ; **cette** feuille ; **ces** lunettes ; **ce** ballon ; **ce** bulletin ; **ces** journaux ; **ce** moteur ; **ces** glaciers ; **ces** jeux ; **cette** bougie ; **cet** hôpital ; **cette** fanfare ; **ces** araignées ; **cet** homme ; **ces** bûches ; **cet** insecte ; **cette** cabane ; **ces** magasins

2 ▶ [...] je ne partirai pas dans **ces** conditions. — Avec **ce** médicament, [...]. — **Cette** perruque est identique [...]. — J'aime **ces** chansons [...]. — **Cet** appel de détresse [...]. — **Ces** aviateurs prennent des risques [...]. — Dans **cette** bibliothèque, [...].

3 ▶ On pourra explorer **cette grotte** lorsque la pluie cessera. — Pourquoi n'écoutez-vous pas **ces disques** ? — **Ce motif** produit un effet original ? — Avec **ces poireaux**, je vais faire une bonne soupe. — **Cet éclair** annonce un orage. — Ne consommez pas **ces produits** : ils sont avariés ! — **Cette combinaison** imperméable te protégera efficacement.

4 ▶ *L'application du procédé de distinction (remplacement par un autre déterminant singulier) permet de lever les ambiguïtés.*
[...] **ses** propos sont toujours intéressants. — Le commerçant reçoit **ses** clients [...]. — Mme Alibert nourrit régulièrement **ses** poissons rouges. — **Ces** nouveaux skis sont révolutionnaires [...] ! — Toutes **ces** bonnes nouvelles [...]. — [...] M. Odet sort sa perceuse et **ses** mèches à béton. — **Ces** terrains vagues seront prochainement aménagés [...].

9 Les déterminants interrogatifs et exclamatifs (p. 23)

Ces exercices ne présentent aucune difficulté ; il suffit d'accorder les déterminants. Nous avons volontairement écarté les emplois plus rares : interrogation indirecte ou emploi comme attribut.

1 ▶ En **quelle** saison [...] — **Quels** candidats [...] — **Quel** dessert [...] — **Quel** prénom [...] — **Quel** code [...] — **Quelles** pièces [...] — De **quelle** ville [...] — **Quels** outils [...] — **Quelle** distance [...] — **Quelle** chemise [...] — À **quelle** vitesse [...] — **Quels** disques [...]

2 ▶ **Quels** superbes bijoux ! — **Quel** travail éprouvant ! — **Quelle** belle journée ! — **Quelles** femmes courageuses ! — **Quels** tableaux originaux ! — **Quelle** descente vertigineuse ! — **Quelle** chaleur étouffante ! — **Quels** fins voiliers ! — **Quelles** émissions passionnantes ! — **Quels** solides barreaux ! — **Quels** bons moments ! — **Quels** vastes espaces !

3 ▶ Dans **quelle** ville [...] est-il né ? — **Quels** numéros as-tu cochés [...] ? — Avec **quelles** actrices [...] a-t-il tourné ce film ? — **Quel** carburant faut-il verser [...] ? — Sur **quelle** île Christophe Colomb a-t-il abordé [...] ? — **Quelles** épices le cuisinier va-t-il mettre [...] ? — **Quel** pinceau prendre [...] ?

4 ▶ [...] **quel** crack ! — Avec **quel** logiciel rédigerez-vous votre curriculum vitae ? — [...] **quelle** brise rafraîchissante en plein mois d'août ! — **Quelle** boulangerie reste ouverte en cette fin de soirée ? — [...] **quel** suspense que l'épreuve des penaltys ! — **Quelles** places avez-vous réservées [...] ? — **Quels** cadeaux vous a-t-on offerts [...] ? — [...] **Quelles** merveilles !

(10) Les déterminants indéfinis (p. 25)

1 ▶ M. Tardieu n'a **aucune** difficulté [...]. — **Tous** les appartements [...] possèdent une vue sur la mer. — **Diverses** qualités d'huile d'olive sont à disposition des clients. — [...] **pas un** morceau ne manque. — Après **maintes** tentatives infructueuses, [...]. — On n'a pas vu une **telle** finale [...].

2 ▶ Dans **certaines** circonstances, il vaut mieux se taire que parler trop vite. — Au départ de la course, **chaque** jockey porte une casaque **différente**. — Beaucoup pensent que **nul** compositeur n'égalera jamais Mozart. — **Chacune** des caisses est munie d'un lecteur électronique d'étiquettes. — Sur ce menu, on a le choix entre **plusieurs** entrées. — Ce basketteur marque des paniers dans **n'importe quelle** position.

3 ▶ *Les différentes possibilités de réponses sont mentionnées. Nous avons cependant écarté les adverbes et les expressions employés comme déterminants (beaucoup de, quantité de...).*
De fréquentes confusions sont faites sur le genre de espèce : *ce nom est féminin.*
Pas un / Aucun / Nul nageur ne se risquerait à affronter ces vagues gigantesques. — M. Roméro a changé de voiture, mais il a choisi le **même** modèle. — Il ne reste plus que **quelques** jours pour participer à ce concours de photos. — **Pas un / Aucun** de ces champignons n'est comestible ; jetez-les. — **Toutes** les issues de secours sont dégagées ; les pompiers l'ont vérifié. — **Plusieurs / Différentes / Quelques** chanteuses ont tenté d'imiter Édith Piaf ; aucune n'y est parvenue. — Dans ce lagon, on découvre **plusieurs / différentes / quelques / certaines / diverses / maintes** espèces de poissons de corail.

4 ▶ *Même remarque que pour l'exercice précédent.*
[...] **tout / n'importe quel** outil fera aussi bien l'affaire. — Avec une **telle** coiffure, il est certain que Diana ne passera pas inaperçue. — [...] **tous** les sapins sont recouverts de givre. — [...] mais les **autres** rues sont totalement dégagées. — [...] il ne néglige **aucun** détail. — **Quelques-unes** des rivières du Nord de la France sont navigables.

11 Les déterminants numéraux (p. 27)

> *Même si l'écriture des nombres en lettres tend à disparaître au profit de l'écriture en chiffres, elle est maintenue pour la rédaction des chèques et des pièces officielles et juridiques.*
>
> *Aujourd'hui, dans ses recommandations, l'Académie française admet le non-accord de cent et vingt, même lorsqu'ils indiquent un nombre exact de centaines ou de vingtaines.*
>
> *Par contre, nous ne plaçons pas de traits d'union pour tous les déterminants, ce qui surchargerait inutilement l'écriture de ces nombres. D'ailleurs, en 1976, était publiée une liste de tolérances et l'omission, dans tous les cas, du trait d'union était admise !*

1 ▶ **trente-sept** morceaux ; **quarante-huit** heures ; **trente-neuf** marches ; **quatre-vingts** (**quatre-vingt**) jours ; **quatre-vingt-dix** litres ; **cinquante-neuf** hectares ; **seize** étages ; **cinquante-deux** cartes ; **quatre-vingt-un** points ; **cent treize** numéros ; **deux cent soixante-quinze** tonnes ; **quatre mille** habitants

2 ▶ **trente-six** chandelles — **deux cent quarante** cartons de savonnettes — **cent cinquante-six** pages — **six cent trente** ouvriers et **trente-quatre** ingénieurs — **quatre cent quatre-vingt-huit** élèves — **Quatre mille trois cent quarante et un** billets — **Vingt-neuf** pour cent — **quatre-vingts** (**quatre-vingt**) logements

3 ▶ *Le contexte et les connaissances culturelles induisent les réponses.*
Pour la quatrième phrase, on admettra la réponse : **quatorze cent quarante** minutes.
On dit qu'être **treize** à table, cela porte malheur. — Ali Baba a découvert le trésor des **quarante** voleurs au fond d'une caverne. — En agglomération, la vitesse est limitée à **cinquante** kilomètres à l'heure. — Dans une journée, il y a **vingt-quatre** heures, donc **mille quatre cent quarante** minutes. — Raoul attend son ami ; il fait les **cent** pas sur le quai de la gare. — Dans une année bissextile, il y a **trois cent soixante-six** jours. — Tuer l'hydre de Lerne fut l'un des **douze** Travaux d'Hercule. — En France, l'âge de la majorité est fixé à **dix-huit** ans.

4 ▶ *Pour la 2ᵉ phrase, on admettra la réponse :* **douze cent(s)** centimètres cubes.
quatre mille huit cent dix mètres d'altitude — **mille deux cent(s)** centimètres cubes — **huit cent(s)** euros ? — **douze mille cinq cent(s)** timbres — **vingt millions** d'habitants — **quatre-vingt mille** travailleurs

5 ▶ les **premiers** bourgeons ; des **seconds** rôles ; les **deuxièmes** classes ; les trois **quarts** du litre ; deux **dixièmes** de seconde ; cinq **milliards** d'insectes

12 Les adjectifs qualificatifs (p. 29)

> Si la formation du féminin des noms ne concerne qu'un nombre limité de noms, il n'en est pas de même pour les adjectifs qualificatifs puisque tous ont la possibilité théorique d'accompagner un nom masculin ou un nom féminin.
>
> Heureusement, 42 % des adjectifs qualificatifs sont invariables en genre puisqu'ils se terminent toujours par un -e.
>
> La difficulté vient surtout des cas de doublement (ou de non-doublement) de la consonne finale du masculin et, dans une moindre mesure, puisqu'il y a modification phonique, de la transformation de cette même consonne finale (adjectifs masculins en -x, en -c et -f).
>
> Au pluriel, il n'y a guère de difficulté ; seuls quelques adjectifs qualificatifs (beau – nouveau) prennent un -x.

1 ▶ une femme **courageuse**, des hommes **courageux**, des soldats **courageux** ; une ponctuation **absente**, des accents **absents**, des virgules **absentes** ; une pluie **tropicale**, des fruits **tropicaux**, des régions **tropicales** ; une plume **légère**, des vents **légers**, des tenues **légères** ; une visite **inattendue**, des propos **inattendus**, des réactions **inattendues** ; une école **publique**, des jardins **publics**, des places **publiques** ; une **fausse** adresse, de **faux** numéros, de **fausses** directions ; une orange **amère**, des goûts **amers**, des endives **amères**

2 ▶ *Nous mentionnons quelques-unes des réponses possibles ; d'autres peuvent être admises :* terrains arides, L'emplacement de parking est suffisant, *etc.*
un homme **inconnu** — un repas **froid** — les réponses **fausses** (**erronées/inexactes**) — un plan d'eau **aménagé** (**artificiel**) — les terrains **secs** — L'emplacement de parking est **large** […] — Ce vase en porcelaine est **fragile** […]

3 ▶ Les hommes **préhistoriques** mangeaient de la viande **crue**. — Les randonneurs couchent dans un refuge **montagnard**. — Des oreilles **indiscrètes** peuvent nous écouter ; parlons bas. — Il fait froid ; les sapins sont **givrés**. — Les enfants aperçoivent le Père Noël ; ils poussent des cris **joyeux**. — Merlin l'Enchanteur est un héros **légendaire**. — L'explorateur arrive dans une région **inconnue**. — Seules les actrices descendent dans cet hôtel **luxueux**.

4 ▶ *Les choix sont si nombreux que nous ne donnons qu'une réponse ; veiller simplement aux accords.*
Les vêtements **vendus** en solde sont de **bonne** qualité, mais parfois un peu **démodés**. — Les gestes **précis** du bijoutier lui permettent de réparer la bague **abîmée**. — Les meubles **peints** en blanc mettent une note **lumineuse** dans la cuisine. — La ligne **aérienne** Paris-Pékin est **ouverte** depuis trois mois. — Les châteaux **forts** protégeaient les seigneurs et leur famille. — Magali exerce une profession **manuelle** ; elle en est **fière**.

13 L'épithète — L'attribut (p. 31)

1 ▶ Cet homme a touché le gros lot ; maintenant il est <u>riche</u>. — La grille est <u>fermée</u> par une énorme chaîne munie d'un cadenas. — Cette comédienne débutante est <u>talentueuse</u> ; son avenir semble <u>prometteur</u>. — Vos paroles sont <u>inaudibles</u> : je n'en comprends pas un traître mot. — La route transsaharienne est <u>monotone</u> ; les oasis sont <u>rares</u>.

2 ▶ *Ne pas confondre les adjectifs qualificatifs et les adverbes qui peuvent les précéder (souvent ; aussi ; actuellement).*
L'été, on peut apprécier les spectacles **folkloriques** en **plein** air. — En saison **automnale**, les journées sont souvent **pluvieuses**. — Les **jeunes** filles de cette troupe **musicale** portent des costumes **traditionnels**. — La pelouse vient d'être **tondue** ; on sent l'herbe **fraîche**. — Qui peut porter des vêtements aussi **voyants** ? — À l'Académie française, trois sièges sont actuellement **vacants**. — Ces **vieilles** voitures sont **bonnes** pour la ferraille.

3 ▶ *Les choix sont nombreux ; veiller simplement aux accords.*
Un **léger** vent souffle le long des allées **désertes**. — Ces stations **thermales** accueillent les personnes **atteintes** de maladies de peau. — Les sentiers **pédestres** ne sont pas toujours goudronnés. — Sur un chantier, tous les ouvriers portent un casque **rouge**. — Pour traverser les **grandes** avenues, empruntez toujours les passages **protégés**. — La place **municipale** est envahie par une foule d'admirateurs **déchaînés**.

4 ▶ *La deuxième phrase exige des connaissances historiques (lire Les Rois maudits de Maurice Druon).*
La sentinelle reste **éveillée** [...]. — On dit que le roi Louis X est mort **empoisonné** par la comtesse de Bourgogne. — Les résultats de l'expérience sont **encourageants** ; la mise au point d'un vaccin est **imminente**. — Victime d'un étourdissement, Helena est tombée **inconsciente** sur le sol. — L'aiguille d'une boussole demeure toujours **pointée** vers le nord magnétique. — Toute tentative de sortie du port est **déconseillée** [...].

14 L'apposition (p. 33)

1 ▶ *Se souvenir que l'adjectif s'accorde avec le nom principal d'un groupe nominal, et non avec le complément de ce nom (la récolte de framboises – les nids d'hirondelle).*
Minoritaires, les gauchers ne trouvent pas toujours des ciseaux **adaptés**. — La récolte de framboises, **abondante** cette année, réjouira les gourmands. — La pause, trop **brève**, n'a pas permis aux randonneurs de se reposer. — **Malheureuse**, cette nageuse n'a pas réussi à battre son record. — Les nids d'hirondelle, **appréciés** des Chinois, sont **consommés** en soupe. — **Recyclables**, ces produits permettront d'économiser de l'énergie. — **Acheminées** par avion, ces lettres seront **distribuées** dans la journée.

Réponses

2 ▶ *Dans cet exercice, on trouvera des adjectifs mis en apposition, épithètes ou attributs.*
Semblables à une colonne de **minuscules** fourmis, les piétons s'acheminent vers la gare [...]. —
Ces statuettes [...], **rares**, donc **précieuses**, valent une **petite** fortune lorsqu'elles sont
vendues aux enchères. — Les **frêles** planeurs, **contrariés** par des vents **violents**, ne pourront
pas se poser sur leur piste **habituelle**. — Toutes les maisons de ce village, **dévastées** par une
tornade **inattendue**, devront être **reconstruites** dans les **meilleurs** délais.

3 ▶ **Impraticable**, le terrain ne permettra pas à la partie de se dérouler [...]. — Bien **entraînés**,
ces alpinistes ont entrepris l'ascension du mont Maudit. — Les rhinocéros, **chassés** pour leur
corne, disparaissent de la savane. — Les fleurettistes, **protégés** par un casque, se livrent un
assaut **acharné**. — **Acclamés** par une foule en délire, les musiciens entrent en scène. —
Louée pour la beauté de ses plages, la Martinique accueille les touristes.

4 ▶ Les légumes, **qui viennent d'être récoltés**, doivent être consommés abondamment. —
Ces coureurs, **motivés par la compétition**, s'entraînent quotidiennement. — **Couvertes en
ardoises**, ces toitures sont caractéristiques de la région angevine. — L'acrobate, **agile**, exécute plusieurs sauts périlleux consécutifs. — L'actrice, **applaudie par le public**, s'apprête
à rejouer la scène pour la sixième fois. — **Commandée par téléphone**, la pizza sera
livrée par un coursier [...]. — Cette étoile, **la plus connue**, se trouve [...].

(15) Les degrés de l'adjectif qualificatif (p. 35)

1 ▶ **Comparatifs de supériorité** : La capitale du Mexique est **plus** peuplée **que** celle du
Chili. — Ce fromage frais est **plus** gras **que** celui que vous avez choisi.
Comparatifs d'infériorité : Le trajet par l'autoroute est **moins** long **que** par la route nationale. — Ce joueur de tennis est **moins** calme **que** son adversaire.
Comparatifs d'égalité : Le concert de dimanche a duré **aussi** longtemps **que** celui de
samedi. — Les cheveux de Lise sont **aussi** longs **que** ceux de Vanessa. — L'eau du robinet
est **aussi** bonne **que** l'eau de cette source.

2 ▶ Ce film est plus **long** que celui que j'ai vu la semaine dernière. — Le baladeur de Saïd est
plus **petit** qu'une boîte d'allumettes. — La traversée de la rivière est aussi **difficile** que celle
du torrent. — Philippe est moins **patient** que son camarade Amaury. — Le linge lavé à la
machine est aussi **blanc** que celui lavé à la main. — Ce problème est moins **complexe** que
celui que vous m'aviez posé auparavant.

3 ▶ La nourriture de ce restaurant est aussi savoureuse **que la tienne**. — Le couteau du boucher est plus aiguisé **que ceux de notre cuisine**. — La salle de sport est moins bruyante **que
le gymnase**. — Le canapé du salon est aussi confortable **que les fauteuils**. — Le château

de Versailles est plus connu **que celui de Valencay**. — Le climat de l'Espagne est moins froid **que celui de l'Allemagne**. — L'accueil que nous a fait Camille est aussi chaleureux **que le vôtre**. — Aujourd'hui, les conditions météo sont plus favorables **qu'hier**.

4 ▶ Le renard de la fable est le plus rusé **des animaux**. — Ce village provençal est le moins visité **de la région**. — La Corse est la plus étendue **des îles françaises**. — À l'arrivée, le Russe est le moins fatigué **du peloton**. — Les gazelles sont moins rapides **que les lionnes**. — Le dernier virage est le plus dangereux **de tous**.

(16) Le complément du nom (p. 37)

1 ▶ Les éléphants ont de longues défenses et de grandes oreilles. — Les oiseaux tournoient au-dessus des champs. — Le tapis représente un tableau. — Les parcs sont nombreux dans le bassin. — Les enfants assistent à une représentation. — La grand-mère maniait habilement les aiguilles. — Ce joueur menace le roi.

2 ▶ *Exercice qui met en évidence la diversité de la nature du complément du nom.*
On note également que le sens est grandement fonction de la préposition qui introduit le complément du nom.
le nom de **chacun** ; un regard de **travers** ; une machine à **écrire** ; un texte à **copier** ; une vue de **loin** ; le froid du **dehors** ; des meubles d'**autrefois** ; un fromage à **tartiner** ; un message de **quelqu'un** ; des meubles en **chêne** ; un fromage de **chèvre** ; un message en **italien**

3 ▶ *On peut hésiter pour l'avant-dernière phrase : la maison près de la rivière – la maison à côté de la rivière.*
M. Ravaute passe une peinture **contre** la rouille sur la barrière **en** fer. — Antonio consulte un livre **sur** les mammouths. — Le pêcheur prend soin de sa canne **à** lancer. — Melinda a trouvé un emploi **dans** la restauration. — Le plombier installe un pare-douche **avec** une vitre transparente. — M. Fario a fait l'acquisition d'un équipement **pour** la plongée. — La maison **près** de la rivière est en vente depuis un an. — La devanture **du** magasin présente des dizaines **de** chaussures.

4 ▶ *Ne pas oublier les prépositions.*
Il faut quelques notions de géométrie pour répondre dans la dernière phrase !
Les sabots **du cheval** sont protégés par des fers. — Dans un angle **du salon** se trouve un petit guéridon **en fer forgé**. — Des jonquilles poussent au bord **de ce ruisseau**. — Les dents **du tigre** sont vraiment impressionnantes. — Le cuisinier met quelques clous **de girofle** dans le civet **de lapin**. — À la sortie **de l'aéroport**, de nombreux taxis attendent les voyageurs. — Ce jeu **de rôles** amuse petits et grands. — Les côtés **du rectangle** sont égaux et parallèles deux à deux.

17 Le groupe nominal (p. 39)

> On peut observer que seuls les déterminants sont constituants obligatoires du groupe nominal (avec le nom bien sûr), sauf cas particuliers (noms propres notamment).

1 ▶ *Le pluriel de l'article masculin* un *est souvent difficile à placer :* d', de, ou des.
des **gardiens** de phare patients ; d'excellents **sauteurs** à la perche ; de minuscules **tubes** de dentifrice ; les premières **pages** de ce livre ; d'énormes **jouets** en plastique ; des **trains** à grande vitesse ; des **ports** de plaisance bien aménagés ; des **avions** à réaction bruyants ; de merveilleux **couchers** de soleil ; des **cartes** postales de Roumanie

2 ▶ *Rappel : le complément du nom ne s'accorde pas avec le nom principal du groupe nominal.*
Nous avons dégusté de savoureux **champignons** à la crème. — **La carte grise** de la voiture se trouve dans la boîte à gants. — M. Anciaux prend régulièrement ses petites **pilules** contre la toux. — Cette coquette **villa** de deux étages est en vente depuis trois mois. — **Anne** est embarrassée : la **notice** de montage n'est pas détaillée.

3 ▶ *Les accords sont multiples ; on procédera avec méthode pour les participes passés notamment.*
Originaires d'Arménie, les **abricots** se sont **adaptés** au climat de la Provence. — **Gêné** par ses **ailes gigantesques**, l'albatros peine à s'envoler. — La **batterie** de l'ordinateur est **déchargée** ; celui-ci doit être **branché**. — **Noyées** dans le brouillard, les **pistes** d'atterrissage sont **impraticables**. — **Silencieuse** et **invisible**, la **barque** des braconniers glisse sur l'étang. — **Surpeuplés**, les **bidonvilles** de la banlieue de Calcutta devront être **évacués**. — Trop **tendues**, les **cordes** de la guitare se sont **cassées**.

4 ▶ Le cargo **polonais** n'émet que de **faibles** signaux **de détresse**. — **Curieux**, les étudiants posent de **nombreuses** questions **à l'enseignant**. — Les **téméraires** plongeurs **de ce groupe** ont découvert l'épave **d'un sous-marin**. — Le **beau** coffret **à bijoux** renferme une bague **en or** et des colliers **de perles**. — **Déraciné**, l'arbre barrait la route **nationale**. — Les hommes **préhistoriques** se nourrissaient de viande **séchée** et de fruits **frais**. — Durant les **longues** soirées **d'hiver**, les paysans réparaient leurs outils **usagés**.

18 Les pronoms démonstratifs (p. 41)

1 ▶ *Le contexte n'étant pas suffisamment précis, on emploiera indifféremment les particules* -là *ou* -ci.
Cette avenue allonge le parcours alors que **celle-là** (**celle-ci**) est beaucoup plus directe. — **Cela** fait dix minutes que j'attends mon tour ; **ce** n'est pas normal. — [...] **ceux-ci** (**ceux-**

là) restent sur la chaussée. — Damien n'a que cent euros, mais **cela** devrait suffire pour régler ses achats. — Le marché de Bellac se tient le lundi, **celui** de Civray le mercredi. — [...] **celui-ci** (**celui-là**) est facultatif.

2 ▶ *Dans la quatrième phrase, il n'y a guère d'ambiguïté :* celui-là *précède* celui-ci.
Choisis entre la place qui se trouve près de l'entrée et **celle** près de la sortie. — Les griffes du chat sont rétractiles, mais pas **celles** du chien. — Vous joindrez vos efforts à **ceux** des pompiers pour éteindre ce feu. — J'hésite entre ces deux melons : **celui-là** a l'air plus mûr que **celui-ci**. — Cette rivière-là coule paisiblement, alors que **celle-ci** roule des flots tumultueux. — Les tableaux de ce peintre contemporain sont réalistes alors que **ceux** de son élève sont abstraits.

3 ▶ Il y a un peu de vent, mais **celui-ci** ne perturbe pas le déroulement de la régate. — Cette valise pèse plus de dix kilos, alors que **celle-ci** est moins lourde. — [...] **ce** n'était qu'une couleuvre. — [...] **ceux-là** (**ceux-ci**) sont simplement unis. — [...] j'encadrerai **celle** qui me représente de profil. — Ce hangar abrite deux planeurs et **celui-ci** (**celui-là**) trois bimoteurs. — **Ceux** qui n'ont pas de billet ne pourront pas aller dans la salle de concerts.

4 ▶ *Dans la dernière phrase, on acceptera* ça *et* cela.
Les immeubles du quartier des Églantines comptent douze étages, alors que **ceux** du quartier des Pervenches n'en ont que huit. — Le programme électoral de ce candidat est opposé **à celui** de son concurrent. — Les feux tricolores de ce carrefour sont en panne, mais **ceux** du boulevard Murat fonctionnent. — Adeline adore les côtelettes de veau ; elle ne mange que **ça** quand elle va à la cafétéria.

(19) Les pronoms possessifs (p. 43)

Veiller à placer l'accent circonflexe sur nôtre *et* vôtre.

1 ▶ *Dans la quatrième phrase, les* leurs *s'impose puisque ce pronom reprend un déterminant pluriel.*
[...] **le tien** est encore dans ta poche. — [...] Lisette oublie parfois **le sien**. — [...] le receveur remet **la sienne**. — [...] nos voisins laissent **les leurs** en liberté. — [...] votre raquette est plus performante que **la mienne**. — Donnez-moi l'adresse de votre coiffeur : **le mien** est en vacances.

2 ▶ *Il peut y avoir plusieurs réponses possibles pour la première phrase* (le sien, le vôtre, le leur).
Mon rendez-vous est fixé à huit heures ; **le tien** est à neuf heures. — Si sa tenue est un peu voyante, **la tienne** est plus discrète : tu as meilleur goût ! — Certains convives ont

apprécié leur dessert ; d'autres n'ont pas touché **le leur**. — Tes parents sont opticiens ; **les miens** tiennent une librairie et je les aide parfois. — Mon portable prend des photos, mais **le tien** ne le peut pas ; tu vas le changer. — Ces jeunes portent leur chemise ouverte ; ceux-là portent **la leur** boutonnée. — Ta sœur vit à Paris ; **la mienne** habite à Lyon [...].

3 ▶ Je prends mes vacances en juillet ; quand prenez-vous **les vôtres** ? — Les lièvres regagnent leur terrier ; les lapins font de même dans **le leur**. — Ma moto est bien assurée ; as-tu pensé à le faire pour **la tienne** ? — Tes skis sont bien fartés, alors que **les nôtres** ne nous permettront pas de glisser. — J'ai égaré mes lunettes de soleil ; peux-tu me prêter **les tiennes** ? — Le parrain de Steven lui a offert un CD ; **le mien** m'a donné son chronomètre.

4 ▶ Zohra utilise son ordinateur portable, mais Déborah constate que **le sien** est en panne. — J'écris mon adresse sur le formulaire d'inscription au tournoi de pétanque, mais il faut que tu y inscrives aussi **la tienne**. — Votre objection ne modifie pas vos intentions, mais elle change **les miennes**. — Abdel ne sucre pas sa tasse de café, alors que Manuel met deux morceaux dans **la sienne**.

(20) Les pronoms indéfinis et interrogatifs (p. 45)

1 ▶ [...] tu en as retenu **quelques-unes**. — [...] **aucune** ne les convainc. — Les enfants de la famille Garcia ont **chacun** leur chambre. — [...] je ne peux pas penser à **tout** ! — Les agriculteurs ont un métier difficile ; aussi **la plupart** abandonnent-ils la terre. — [...] **personne** n'a la réponse.

2 ▶ **Quiconque** présentera l'appareil dans son emballage d'origine sera remboursé. — **Certains** prétendent que les soucoupes volantes ont déjà survolé la Terre. — **Rien** n'est plus agréable que d'avoir des amis fidèles et sincères. — Ne faites pas à **autrui** ce que vous ne voulez pas qu'on vous fasse. — **Nul** ne résoudra jamais la quadrature du cercle. — Parmi tous ces modèles de téléviseurs, **pas un** ne séduit M. Gagnaire.

3 ▶ *Certains adverbes peuvent être employés comme pronoms indéfinis ; c'est le cas pour la troisième phrase : « beaucoup connaissent des problèmes... »*
Il suffirait de **rien** (**peu de chose**) pour que cette maisonnette soit habitable. — Comme le directeur de l'usine est satisfait [...], il offre une prime de productivité à **chacun** (**tous**). — Beaucoup de touristes pratiquent les sports nautiques, mais **quelques-uns** (**certains**) préfèrent visiter les musées [...] ! — Certains pays africains possèdent d'importantes ressources minières ; **d'autres** connaissent des problèmes pour simplement nourrir leur population.

4 ▶ *Exercice difficile, même s'il n'y a guère d'ambiguïtés à lever.*
Qui a obtenu la médaille d'or [...] ? — **Où** se trouve le point culminant de l'Afrique ? — [...] **lequel** recueille les bouteilles en plastique ? — Sur **quoi** faut-il monter pour changer

l'ampoule du lustre ? — Parmi tous ces projets de voyage, **auquel** donneras-tu la préférence ? — **Laquelle** de ces deux cravates porterez-vous [...] ? — **Que** faire en cas d'inondations importantes ?

21 Les pronoms personnels (p. 47)

1 ▶ [...] **nous** ne partirons pas. — Quand **je** planifie bien mon travail, **je** le termine toujours à temps. — [...] **il** possède un disque dur. — **Vous** avez postulé pour un emploi de serveur [...]. — **Tu** lasses tes interlocuteurs, car **tu** monopolises la parole. — Quand les poules ont pondu leurs œufs, **elles** chantent.

2 ▶ *Les pronoms personnels compléments sont placés avant le verbe (sauf lorsque le verbe est à l'impératif).*
Le patient **se** rend chez le médecin qui **lui** remet une ordonnance. — Je **vous** rends la perceuse que vous **m**'aviez prêtée. — Les souris **se** multiplient rapidement ; on peine à **les** compter. — Comme la poulie grince, le mécanicien **la** graisse. — Si vous n'arrosez pas vos plantes, elles **se** faneront. — L'opéré **se** réveille lentement ; l'anesthésiste **lui** humecte les lèvres. — Tu **te** fatigues et des crampes **te** paralysent les jambes.

3 ▶ *Dans la dernière phrase, on remarque que le pronom personnel complément d'objet direct est placé avant le complément d'objet indirect.*
Pour ranger vos livres, vous **les** placez dans une bibliothèque vitrée. — Lorsque mon chat miaule, je **lui** donne quelques croquettes. — La pelouse de M. Fort a bien poussé ; **il** doit **la** tondre. — Ton cadeau de Noël est imposant ; anxieux, tu **le** déballes. — Les douaniers demandent les passeports aux passagers ; **ils les leur** présentent.

4 ▶ *Exercice très difficile qui exige une compréhension parfaite de chaque phrase. On pourra débuter par une recherche précise des sujets avant d'aborder les compléments.*
« Qu'**elle** est belle ! », déclare Adeline en regardant Jeanne. — « **Nous** arrivons dans une minute », annoncent Teddy et Mohamed. — « Connais-**tu** la réponse ? » demande Justin à Erwan. — « **Il** arrivera trop tard », dit Farid en voyant courir Colin. — « Qu'**ils** sont aimables Renaud et Étienne ! » pense Maxence. — Julie et Alexandre sont contents : Gaëlle **leur** a offert un cadeau. — Robin interroge Jason et Bastien : « Avez-**vous** pensé à fermer la porte ? » — « **Je** ne connais pas la capitale du Honduras », avoue Nadia à Leslie.

22 Le verbe (p. 49)

1 ▶ **1ᵉʳ groupe** : avancer ; occuper ; pédaler ; danser ; chausser ; chercher
2ᵉ groupe : atterrir ; bondir ; rougir ; frémir
3ᵉ groupe : croire ; sourire ; confondre ; moudre ; venir ; surprendre

2 ▶ Les moissons **réunissaient** (passé) [...]. — M. Blanchard ne **se couche** jamais (présent) [...]. — En l'an 3000, les hommes **s'installeront** (futur) [...]. — Au xvᵉ siècle, Gutenberg **inventa** (passé) [...]. — Après réflexion, Gwenaëlle **finira** (futur) [...]. — Le traîneau **est tiré** (présent) [...].

3 ▶ *Pour deux phrases, il y a deux réponses possibles, mais pour la dernière, Ce matin s'impose.*
L'été dernier, Carlos est allé en vacances au Portugal. — **Dimanche prochain (Demain)**, le Club du cèdre organisera un concours de belote. — **Actuellement**, l'oncle de Thomas élève des moutons en Provence. — **Hier**, avait lieu une compétition de tennis. — **Demain (Dimanche prochain)**, nous irons à la piscine. — **Autrefois**, le voyage de Paris à Lyon durait cinq jours. — **À l'avenir**, les robots travailleront à la place de l'homme. — **En ce moment**, la zone désertique progresse en Afrique. — **Ce matin**, je déjeune très rapidement.

4 ▶ *Le nom et le verbe ne sont identifiables que par rapport à leur environnement et à leur possibilité de commuter avec d'autres noms et d'autres verbes.*
Oralement, le mot [paʀ], considéré indépendamment de tout contexte, n'est ni un nom ni un verbe. Tant qu'il n'est pas accompagné des indices qui révèlent son emploi dans l'énoncé (soit d'un déterminant, soit du nom sujet du verbe), on ne peut pas se prononcer.
Les oiseaux **couvent** (verbe) leurs œufs dans leur nid. — Au Moyen Âge, les moines vivaient dans un **couvent** (nom). — L'éléphant utilise sa **trompe** (nom) pour déplacer les troncs. — [...] Dimitri ne se **trompe** pas (verbe) souvent. — Prendras-tu une **part** (nom) de tarte [...] ? — Grégory **part** (verbe) sans oublier de nous laisser son adresse.

㉓ Les verbes pronominaux et impersonnels (p. 51)

1 ▶ *Rappel : À l'infinitif, le pronom personnel réfléchi est toujours se.*
On révisera utilement les formes de certains verbes irréguliers.
Les curieux **se pressent** [...]. — Quand il fait trop chaud, je **me réfugie** [...]. — Tu **te méfies** [...]. — [...] vous **vous servez** [...]. — Nous **nous plaignons** du bruit que font les trains qui **se succèdent**. — Les personnes âgées **se souviennent** [...].

2 ▶ *Tous les participes passés de ces verbes pronominaux s'accordent avec le sujet.*
On note que les formes des pronoms personnels sujets et des pronoms personnels réfléchis des 1ʳᵉ et 2ᵉ personnes du pluriel sont identiques.
Lorsque le maire **a été** élu, les conseillers **se sont empressés** de le féliciter. — [...] tu **t'es endormi(e)**. — Vous deviez aller en Italie, mais vous **vous êtes désisté(e)s** au dernier moment. — Le trop-plein de l'étang **s'est écoulé** dans les prairies environnantes. — [...] nous **nous sommes ennuyé(e)s**. — [...] une épaisse fumée **s'est échappée** du cratère. — Tu **as essayé** de traduire ce texte, mais tu **t'es aperçu(e)** qu'il était illisible.

3 ▶ Il me **prend** parfois l'envie de m'isoler [...]. — Il **convient** que les cyclistes **empruntent** les couloirs réservés. — Il **est** des propos qu'il **vaut** mieux ne jamais prononcer. — Il **fait** bon vivre dans cette région [...]. — Tous les matins, il **sort** plus de cinquante autobus de ce dépôt. — [...] il **revient** aux jurés de prononcer leur verdict.

4 ▶ Lucie m'a présenté le petit chaton auquel elle ⌐s'est attachée⌐. — Peu d'électeurs ⌐se sont abstenus⌐ ; la participation a été massive. — Lorsqu'il me rencontre, Aurélien me donne de ses nouvelles. — Comme nous ne pouvions pas aller au concert, vous nous avez remplacés. — Les vaches et leurs veaux ⌐se rafraîchissent⌐ à l'abreuvoir. — Le gendarme enquête ; le témoin lui détaille ce qu'il a aperçu. — Tous les appareils électroniques ⌐se commandent⌐ désormais à distance. — Vous ⌐vous mobilisez⌐ pour une cause humanitaire.

(24) Le sujet du verbe (p. 53)

1 ▶ *Dans la deuxième phrase, bien rechercher le nom principal du groupe sujet.*
Pourquoi les tortues de mer **pondent**-elles sur les plages de sable ? — Une haie de peupliers récemment plantés **borde** la rivière. — Assis à la terrasse du café, tu **dégustes** un chocolat chaud. — Personne ne **sait** qui était réellement le Masque de fer. — Lorsque **vient** l'hiver, où les marmottes **se réfugient**-elles ? — L'usage des calculatrices **facilite** la résolution des problèmes. — La puissance des chutes du Niagara **surprend** ceux qui s'en **approchent**.

2 ▶ *Des modifications, autres que celles concernant les terminaisons des verbes, sont à effectuer (phrases 2 et 4).*
Tu **n'agis** qu'avec prudence. — En prévision de la tempête, **les gens se barricadent** chez **eux**. — **Les rideaux atténuent** les ardeurs du soleil. — **Vous sursautez** dès que **nous vous adressons** la parole. — **Les fiches** que **je plastifie** se **conserveront** mieux. — **Le vent violent** ne **présage** rien de bon ; il va pleuvoir.

3 ▶ *Exercice difficile, car certains sujets sont inversés. Dans la septième phrase, on note que deux sujets singuliers entraînent le pluriel.*
Les techniciens de la compagnie d'électricité **réparent** les lignes. — Les ministres que **réunit** le président **arrivent** au palais de l'Élysée. — Pourquoi **noircissez**-vous la situation de votre installation ? — Les ennuis que **connaît** M. Garnier ne **doivent** pas durer. — Transmettre les ordres **relève** de la responsabilité des sous-officiers. — Quand il **faut** secourir les naufragés, les remorqueurs **prennent** la mer. — La mer et le ciel bleu **attirent** les touristes sur la Costa Brava. — Les robinets que **pose** le plombier **sont** en acier inoxydable.

4 ▶ L'atelier du potier **se trouvait** à la sortie du village où **habitaient** mes grands-parents chez lesquels je **passais** toutes mes vacances. Mon ami Bertrand et moi **allions** souvent rendre visite à M. Valin et nous le **regardions** pendant qu'il **pétrissait** les boules d'argile. Les vases et les plats **prenaient** rapidement forme entre ses doigts magiques qui **caressaient** la terre. Je l'**admirais** tant que, plus tard, je **voulais** devenir potier.

25 Les adverbes — Les locutions adverbiales (p. 55)

1 ▶ *Même si, dans la première phrase, trop est correct, l'examen de la totalité des phrases exclut cette possibilité.*
[...] on en trouve **partout**. — **Autrefois**, on voyageait en diligence ; **maintenant**, on prend l'avion ou le TGV. — D'**ici** à la station de métro, il y a trois cents mètres. — Personne n'est **d'accord** [...]. — [...] on peut prendre **autant** de photos que l'on veut. — Il y a **trop** de bruit ; je ne resterai pas **davantage** dans cette salle.

2 ▶ *Les contraires sont d'usage courant.*
Vous trouverez **ici** ce que vous cherchez depuis des heures. — Le jeu et les distractions passent **après** le travail. — La scierie s'installe **près** des forêts du Jura. — Dans ce plat, il y a **beaucoup** d'épices et le goût en est dénaturé. — Le pêcheur a de l'eau **au-dessus** des genoux, mais il a des cuissardes. — Les véhicules stationnent **derrière** la gare routière.

3 ▶ Le président de la République s'avance **dignement** [...]. — [...] le rayon des chaussures est **totalement** vide. — **Courageusement**, M. Karl lutte contre une terrible maladie. — Le savant parle **précisément** de sa dernière découverte. — [...] il faut conduire **prudemment**. — Pourquoi répondez-vous **vaguement** ?

4 ▶ *Il est indispensable de bien examiner la terminaison des adjectifs pour arrêter la terminaison des adverbes, car la prononciation est identique.*
Les Italiens se sont **brillamment** qualifiés [...]. — Tu n'as que **partiellement** achevé la rédaction de ce courriel. — Maud sait **pertinemment** que nous ne pouvons la croire. — [...] il sera **évidemment** en retard. — C'est **impatiemment** que les supporters attendent leur équipe. — M. Bianco parle **couramment** cinq langues [...]. — Comment veux-tu que je travaille car je suis **constamment** dérangé ? — Romain se connecte **fréquemment** [...].

26 Les prépositions (p. 57)

Leçon importante, l'emploi des prépositions constitue une des difficultés majeures de la syntaxe.

1 ▶ *Aucune ambiguïté pour le placement des prépositions et des locutions prépositives.*
Les électriciens ont agi avec prudence **pour** réinstaller les fils tombés **à** terre. — La quincaillerie est fermée **pour cause** d'inventaire. — **À force** de persévérance, les plongeurs ont pu remonter l'épave de ce galion. — Les champs de tournesols s'étendent **au-delà** de

la colline. — Romuald est inscrit sur les listes électorales **depuis** l'âge de dix-huit ans. — Iouri Gagarine fut le premier homme **à** avoir tourné **autour** de la Terre. — Ces skieurs imprudents se sont aventurés **dans** un couloir d'avalanche.

2 ▶ *Un emploi strict des prépositions est primordial.*
[…] M. Sapin se rend **chez** le dentiste. — […] la clé est **dans** la serrure. — Les cow-boys savent monter **à** cheval […] — […] M. Fournel l'a lu **dans** le journal. — Les journalistes se sont assis **sur** les chaises mises **à** leur disposition. — […] M. Amiot habite **à** Paris. — […] Gabriel a oublié l'adresse **de** son cousin. — Martha se coiffe **avec** son peigne.

3 ▶ *Pour certaines phrases, plusieurs réponses sont possibles.*
Deux fois **par** mois, un marché aux bestiaux se tient **sur** la place de Louhans. — **Pendant** (**Durant / Au cours de**) son service militaire, M. Vanucci a beaucoup voyagé : il était marin. — La marmotte dort **durant** (**pendant**) l'hiver au fond de son terrier. — **Sauf** erreur de la part du journaliste, le lieu de l'accident se situe à Roanne. — Ce cuisinier est capable de préparer la poularde **de** (**à la manière de**) Georges Blanc. — Le bureau de poste se trouve **face à** (**à côté d'**) une boulangerie et une pharmacie.

4 ▶ *Bien que l'expression* une idée derrière la tête *soit connue, on admettra* une idée dans la tête.
[…] je suis certain que tu as une idée **derrière** la tête. — Une superbe pendule Louis XV se trouve **sur** le manteau de la cheminée. — […] les enfants se dirigent **vers** le rayon des jouets. — La diffusion du film aura bien lieu **à** l'horaire prévu. — Le couvreur appuie son échelle **contre** le mur. — **Malgré** le vent contraire, les cyclistes roulent à vive allure.

(27) Le complément d'objet direct (p. 59)

> *L'identification du complément d'objet direct est importante puisque, dans certains cas, il conditionne l'accord du participe passé employé avec l'auxiliaire* avoir.

1 ▶ *Exercice qui permet de se familiariser avec la nature des différents compléments d'objet directs.*
On notera que, dans la 5e phrase, du *est un article. Pour le distinguer d'une préposition, on peut opérer une commutation avec un autre article :* vous chercherez le travail.
Samuel écrit une longue lettre (**groupe nominal**) à ses amis du Québec. — Les physiciens installent un laboratoire d'observation (**groupe nominal**) en terre Adélie. — Quand je défricherai ce terrain, j'éviterai les vipères. (**groupes nominaux**) — Tu as perdu tes clés (**groupe nominal**), mais tu les (**pronom personnel**) retrouves rapidement. — Quand vous chercherez du travail, vous enverrez des lettres de motivation. (**groupes nominaux**) —

Le sorcier affirme que les esprits reviendront sur Terre . (**proposition subordonnée**) — M. Bertrand devrait réfléchir (**infinitif**) avant de répondre trop vite.

2 ▶ Le moniteur donne **une leçon** aux skieurs débutants. — Mandy retourne **le steak** pour vérifier sa cuisson. — Je repose délicatement **le vase** sur le bord de la commode. — Le gardien de l'immeuble connaît **tous les habitants**. — Très souvent, les inventeurs présentent **leurs découvertes** au concours Lépine. — Cette publicité vante **les bienfaits du sport** sur de nombreuses affiches. — Djamel éteint **la lumière** et sort de la pièce.

3 ▶ *Même si la construction de ces phrases, hors contexte, n'est pas toujours rigoureuse, elle permet de placer des pronoms personnels compléments d'objet directs.*
Les obstacles, le cavalier les franchit avec une aisance stupéfiante. — Le logiciel, je l'ouvre avec beaucoup de difficulté. — La glace à la vanille, je la préfère avec un peu de crème chantilly. — Le château d'If, on le visite en prenant un petit bateau. — Au printemps, le jardinier sort ses pots de géraniums et il les arrose. — J'ai adoré le dernier film de Spielberg ; l'as-tu vu ?

4 ▶ *Le sens induit pratiquement toutes les réponses.*
Tu glisses **ta lettre** dans la boîte aux lettres. — Le chef d'orchestre dirige **les musiciens** énergiquement. — L'employé de la mairie remplit **le certificat** [...]. — Nous utilisons **un compas** pour tracer un cercle. — M. Julien porte **des lunettes** pour lire de près. — J'aime **les crêpes** au sucre ou à la confiture. — Patricia collectionne **les timbres** depuis deux ans. — Vous chaussez **vos skis** pour dévaler les pistes.

28 Le complément d'objet indirect (p. 61)

1 ▶ *Familiarisation avec la nature des COI.*
Comme l'ampoule est grillée, il s'agit de la remplacer . (**un groupe verbal à l'infinitif**) — Le conférencier s'adresse à chacun . (**un pronom indéfini**) — Quand elle était plus jeune, Sophie s'est occupée de sa petite sœur . (**un groupe nominal**) — Le roi Louis XV a succédé à son arrière-grand-père . (**un groupe nominal**) — Si tu veux peindre cette porte, je te conseille de prendre un pinceau fin . (**un pronom personnel**) (**un groupe verbal à l'infinitif**) — Le concert débute par un morceau entraînant . (**un groupe nominal**) — La famille Legrand se doutait qu'elle partirait s'installer à Poitiers . (**une proposition subordonnée**)

2 ▶ *On veillera à ne pas placer des compléments circonstanciels.*
Cet ancien rugbyman se souvient **de tous ses matchs**. — La fumée de cigare nuit **à ceux qui sont dans la même pièce**. — Les concurrents en petite forme ne participeront pas **à la course**. — Est-ce que vous croyez encore **aux fantômes** ? — Le prix est trop élevé ; Martial renonce **à acheter ce téléviseur écran plat**. — Cette immense propriété appartient **à la famille Fidalli**. — Le pharmacien insiste **sur les effets secondaires de ce médicament**.

Réponses

3 ▶ *On note que les COI pronoms personnels peuvent être placés avant le verbe.*
Lucas n'a pas vu ses cousins depuis longtemps ; il |leur| écrit. — Certains adorent les chats de race, mais Fanny ne pense qu' |au sien|. — La retraite approche ; M. Calmat |y| songe désormais tous les jours. — Anna essaie un pantalon à taille basse ; il |lui| plaît immédiatement. — Marie part en Bretagne ; elle |te| propose de l'accompagner. — Sarah est ma meilleure amie ; je me confie |à elle|.

4 ▶ *Exercice difficile ; de fréquentes confusions entre y et en.*
L'examinateur pose une question ; Rebecca **lui** répond. — Victor a mal au ventre ; il **en** souffre depuis trois jours. — Ces histoires sont invraisemblables ; personne n'**y** croit. — Max est en colère contre son ami Paul ; il ne **lui** pardonne pas. — Le train entre en gare ; les voyageurs **en** descendent. — Les officiers donnent des ordres ; les soldats **leur** obéissent.

29 Le complément d'attribution (p. 63)

La distinction entre complément d'objet indirect, complément d'attribution et complément d'objet second est délicate. Les grammairiens ne sont pas toujours d'accord sur l'analyse de certaines phrases. Nous nous en tiendrons à des exemples simples, exempts d'ambiguïtés comme nous le mentionnons dans la leçon.

1 ▶ *Dans la dernière phrase, le complément d'attribution est placé avant le COD parce qu'il est plus court.*
Lors des soldes, cette boutique offre des réductions |à ses meilleurs clients|. — En janvier, nous adressons nos vœux |à nos amis|. — Le grand-père raconte une histoire |à ses petits-enfants|. — Le facteur distribue le courrier |aux locataires de l'immeuble|. — La cartomancienne ne prédit l'avenir qu'|aux personnes crédules|. — Le médecin interdit |au malade| de consommer des matières grasses.

2 ▶ Surtout ne confie pas ce secret **à tout le monde** : [...]. — Cette éolienne fournit de l'électricité **à de nombreux foyers**. — L'éleveur apporte de la nourriture **à sa centaine de porcs**. — Le metteur en scène reconnaît du talent **à cette actrice**. — La maîtresse de maison sert une dinde aux marrons **à ses invités**. — L'ouvreuse du théâtre indique leur place **aux spectateurs**. — Cette galerie ménage un étroit passage **aux spéléologues**.

3 ▶ L'infirmière effectue une prise de sang **au patient**. — L'arbitre distribue un carton jaune **à ce joueur**. — La caissière rend la monnaie **à la cliente**. — Béatrice murmure un conseil **à sa fille**. — La nourrice chante une berceuse **au nouveau-né**. — Le plâtrier présente la facture **à Victor**.

4 ▶ Le président s'adresse aux Français ; il ⟨leur⟩ présente ses projets. — L'élève écoute son professeur de violon qui ⟨lui⟩ donne des conseils. — Le chauffard roulait trop vite ; le gendarme ⟨lui⟩ retire son permis. — M. Revol part en vacances ; un fermier ⟨lui⟩ loue une maison. — Comme l'avant-centre est démarqué, Rémi ⟨lui⟩ passe le ballon. — Les chiens sont obéissants quand leur maître ⟨leur⟩ donne un ordre.

(30) Les compléments circonstanciels de lieu et de temps (p. 65)

> *Les compléments circonstanciels de lieu et de temps sont les plus aisément identifiables.*

1 ▶ Napoléon Ier est né ⟨en 1769⟩ dans une riche famille corse. — ⟨Dans un instant⟩, le feu passera au vert et nous démarrerons. — On dit que, ⟨à minuit⟩, les fantômes hantent les couloirs du château. — ⟨Autrefois⟩, les moines recopiaient les livres à la main. — ⟨Le 1er mai⟩, c'est la fête du Travail et on offre du muguet à ses amis. — L'ouragan atteindra les côtes de Floride ⟨dans trois jours⟩. — ⟨Après le dépouillement des bulletins⟩, l'élection de M. Gray est confirmée.

2 ▶ *La présence de deux compléments de lieu dans la 4e phrase justifie leur positionnement dans la phrase.*
M. Nubert passe toutes ses soirées ⟨dans son jardin⟩ ; il adore ça. — ⟨Au tribunal⟩, l'avocat plaide l'innocence de l'accusé. — Les légumes les plus divers sont exposés ⟨sur les étalages des maraîchers⟩. — ⟨À Versailles⟩, Louis XIV donnait des fêtes ⟨dans la galerie des Glaces⟩. — Six personnes attendent ⟨devant le distributeur de billets⟩. — L'ambulance et la dépanneuse circulent ⟨sur la bande d'arrêt d'urgence⟩. — Il faut placer les produits laitiers ⟨au réfrigérateur⟩.

3 ▶ *Veillez au placement des virgules lorsque les compléments circonstanciels sont en début de phrase ou lorsqu'ils sont en incises (deux dernières phrases).*
On aperçoit tout Paris **du troisième étage de la tour Eiffel**. — **Dans les Pyrénées**, on a réintroduit des ours. — Martine consulte son répertoire **avant de composer le numéro**. — Le chien de berger rassemble les brebis **quand elles s'égarent**. — **À la dernière minute**, Karim Sadri a marqué le but de la victoire. — Les habitants du quartier participent, **fin juin**, à la fête de la Musique. — D'immenses affiches annoncent la venue, **à Vesoul**, d'un cirque.

4 ▶ Le cargo en provenance de Singapour arrive **au port**. — Nelly surmontera sa peur **quand elle s'avancera dans le noir**. — [...] les randonneurs se sont réfugiés **dans une grotte**. — **Tous les ans**, M. Garcia renouvelle son abonnement [...]. — Pierrick a osé, **aujourd'hui**, sauter en parachute. — Les amateurs d'une troupe de théâtre se produisent **salle Poiret**. — Les distributeurs de journaux gratuits s'installent **à chaque sortie de métro**.

31 Les compléments circonstanciels de manière et de cause (p. 67)

1 ▶ *Dans la dernière phrase, nous avons un attribut du sujet (étroit) qu'il ne faut pas confondre avec un complément circonstanciel de manière.*
D'autre part, on remarque que les adverbes peuvent occuper diverses fonctions de compléments circonstanciels (toujours → temps ; couramment → manière).
Sabine s'habille toujours │avec beaucoup de goût│. — Les choristes chantent │sous la direction du chef d'orchestre│. — [...] M. Piaton déjeune [...] │sur le pouce│. — │En mangeant ma part de galette│, [...]. — Mme Clavel parle │couramment│[...]. — [...] il connaît son texte │par cœur│. — [...] les randonneurs se déplacent │en file indienne│.

2 ▶ │Comme la facture est élevée│, vous payez [...]. — │Faute d'échelle│, tu n'as pas pu cueillir toutes les cerises. — Pedro est félicité │pour avoir résolu cette énigme en peu de temps│. — │À la suite des départs en vacances│, il y a des bouchons [...]. — │Vu leur manque de vivres│, les assiégés durent se rendre. — Nous n'avons pas pu nous baigner │parce que l'eau était trop froide│. — │Du moment que tu veux m'accompagner│, j'ai retenu deux places.

3 ▶ **Avec grâce**, les planeurs tournoient [...]. — Le peintre exécuta les détails du portrait **sans trembler**. — [...], le cheval regagne son box **au pas**. — [...], ces deux amis se sont rencontrés **par hasard**. — Le piton de la Fournaise, [...], s'est réveillé **brusquement**. — Le chirurgien remit le fémur brisé en place **sans hésitation**. — [...], Laura pénètre dans la pièce **sur la pointe des pieds**.

4 ▶ *Nos propositions ne sont que des exemples de réponses possibles.*
Au vu de ses nombreuses affabulations, le berger Martin [...]. — **Pour cause de travaux**, les magasins [...]. — [...], la voiture de tête est tombée en panne **parce qu'elle n'avait plus d'essence**. — Damien a refusé de prendre ce dessert **parce qu'il est trop sucré**. — Le chien a perdu la trace du chevreuil **à cause de la pluie**. — **Pour quitter Paris**, la famille [...]. — Le public trépigne [...] **pour apercevoir la vedette du spectacle**.

32 Les compléments circonstanciels de but et de moyen (p. 69)

La confusion entre les compléments circonstanciels de but, de manière, de moyen et de cause est fréquente, sans grande incidence pour celui qui écrit.
Beaucoup de grammaires présentent d'autres compléments circonstanciels : de concession, d'opposition, de comparaison, d'accompagnement, de conséquence... Les nuances sont parfois bien ténues et il n'est pas indispensable, pour un non-spécialiste, de les repérer.

1 ▶ |Pour bien jouer du violon|, il faut se couper soigneusement les ongles. — |De crainte de se perdre|, M. Rivière consulte régulièrement son GPS. — Christophe Colomb s'est embarqué |pour rejoindre les Indes|. — |En vue de la période estivale|, ce magasin présente une nouvelle collection. — |Afin de réduire sa tension|, Mme Juillet sale moins sa nourriture. — Le sculpteur choisit un bloc de marbre |pour réaliser le buste d'Einstein|. — |De peur de manquer d'eau|, le caravanier maîtrise sa consommation quotidienne.

2 ▶ *La confusion « circonstanciel de manière » et « circonstanciel de moyen » est possible pour la 4ᵉ phrase ; le moyen est évoqué par défaut.*
Pour ne pas se mouiller, elle part |avec un parapluie|. — |Avec les voitures modernes|, on roule plus en sécurité qu'autrefois. — Cette personne handicapée se déplace |à l'aide d'un fauteuil roulant|. — Dans l'Antiquité, les marins naviguaient |sans boussole|. — Les rois ne mangeaient qu' |avec des couverts en or|. — Les pompiers ont éteint le feu de forêt |avec l'appui des canadairs|. — Comme la batterie est à plat, Luc met le moteur en marche |avec la manivelle|.

3 ▶ Le cuisinier ajoute une goutte de liqueur à la pâte à crêpes **pour la parfumer.** — **Afin qu'ils ne s'envolent pas**, le photographe s'approche […]. — Mme Rachel se rend chez le poissonnier **pour acheter des huîtres.** — **Afin de préserver la noblesse française**, le cardinal de Richelieu a interdit les duels. — Le véliplanchiste borde sa voile **pour prendre de la vitesse.** — **Pour célébrer la victoire**, les supporters agitent des drapeaux […]. — **De peur que le patient perde trop de sang**, les ambulanciers activent leur gyrophare.

4 ▶ Le graveur réalise le timbre-poste **avec une encre spéciale.** — Le biologiste observe la goutte de sang **avec un microscope.** — Le pêcheur récupère le brochet **avec une épuisette.** — Les touristes se protègent du soleil **avec de la crème.** — Le gardien ferme le portail **avec sa clé.** — […], M. Duval le perce **avec une mèche adaptée.** — Les ouvriers creusent une tranchée **avec une tractopelle.**

(33) Les conjonctions de coordination (p. 71)

1 ▶ Ces légumes sont sains ; |en effet|, ils sont cultivés sans apports chimiques. — Cette lettre pèse cent grammes, |aussi| faut-il coller un timbre d'un euro. — Les portes et les fenêtres de cet appartement sont en aluminium. — Les chênes perdent leurs feuilles, |de même que| les châtaigniers. — À moto, il est dangereux de rouler sans casque |ni| vêtements de cuir. — La pièce de théâtre est écrite en anglais, |donc| il faudra la traduire.

Réponses

2 ▶ *Nous vous conseillons d'envisager cet exercice dans son ensemble, sans vous précipiter. Vous vous apercevrez qu'il n'y a qu'une inversion possible, entre* mais *et* or. *Ne pas oublier la majuscule de la phrase de Galilée.*

[...] « **Et pourtant**, elle tourne ! » — Tu croyais avoir marqué, **mais** le poteau renvoya le ballon. — Nous laverons le linge, nous l'étendrons, **puis** nous le repasserons. — Cette rue est interdite aux véhicules, **donc** elle est réservée aux piétons. — Le Brésil est vaste ; **toutefois** la forêt amazonienne en occupe une grande partie. — Flavia a de la chance **car** ses parents lui ont offert un poney. — La note s'élève à trente euros, **or** je n'en ai que vingt-cinq !

3 ▶ L'aigle royal **et** le faucon pèlerin sont des rapaces protégés. — [...], prenez le métro **ou** l'autobus. — Le réservoir est vide, **donc** l'automobiliste devra le remplir d'urgence. — M. Bazin voulait retenir une chambre, **mais** l'hôtel était complet. — [...], ils sont partis sans tambour **ni** trompette. — Je commanderai un thé au lait, **car** je ne bois jamais de café. — [...], il fera beau, **cependant** (**pourtant**) des orages sont possibles [...].

4 ▶ *Le procédé de substitution (ou → ou bien) fonctionne parfaitement.*

Le jour **où** tu fêteras ton anniversaire, [...]. — Que tu prennes à droite **ou** à gauche, [...]. — [...] Au directeur **ou** à son adjoint ? — [...] c'est un département **où** les forêts de pins sont nombreuses. — [...] on s'éclairait à la bougie **ou** à la lampe à huile. — Clotaire hésite pour son futur métier : éleveur **ou** vétérinaire ? — [...] utilise un dictionnaire **ou** un logiciel d'orthographe. — L'orage a endommagé les serres **où** sont cultivées les tomates.

(34) Les propositions indépendantes, coordonnées et juxtaposées (p. 73)

1 ▶ Guillaume crie au loup, mais personne ne le croit. (**propositions coordonnées**) — Ne laissez pas les enfants jouer avec des allumettes. (**proposition indépendante**) — Ce jeune couple visite un appartement dans une cité de la banlieue de Lille. (**proposition indépendante**) — Le cholestérol freine la circulation du sang et entraîne des accidents cardiaques. (**propositions coordonnées**) — Le soigneur ne se déplace jamais sans sa trousse et son éponge miracle ! (**proposition indépendante**) — On a découvert un nouveau médicament ; il soulagera nombre de malades. (**propositions juxtaposées**)

2 ▶ *Il est possible de placer une virgule, un point-virgule ou même deux-points entre les propositions juxtaposées.*

Cette façade est dans un triste état : les maçons devront la ravaler. — Tu attends des renforts ; tu poursuis seul les recherches. — M. Flavien comptait s'orienter grâce au panneau indicateur, il est illisible. — Ce parc est très fréquenté ; on y trouve quelques coins calmes. —

La vendange sera excellente : le soleil a favorisé la maturation du raisin. — Les joueurs réagissent dans le dernier quart temps : ils marquent deux buts.

3 ▶ *Il est possible de placer des locutions conjonctives ou des adverbes.*
Il a bien reçu les messages sur son ordinateur, **mais** il ne peut pas les ouvrir. — Karen a tenu son pari, **car** elle a plongé du haut de la falaise. — Louis possède une montre d'une grande valeur, **donc** il ne s'en séparera jamais. — César bat les cartes **et** Panisse les distribue. — Sarah m'a envoyé un SMS, **ainsi (donc)** elle est arrivée à bon port. — Le terrain est impraticable, **donc (par conséquent)** le match a été annulé.

4 ▶ *Exercice difficile, à conduire avec méthode : séparer les phrases avant d'en examiner les propositions.*
Le soleil, déjà très bas, descendait vers l'eau de plus en plus vite, entraînant tout l'horizon après lui (**prop. indépendante**). Le vent fraîchissait, l'île devenait violette (**prop. juxta-posées**). Dans le ciel, près de moi, un gros oiseau passait lourdement : c'était l'aigle de la tour génoise (**prop. juxtaposées**). Peu à peu la brume de mer montait (**prop. indépendante**). Bientôt on ne voyait plus que l'ourlet blanc de l'écume autour de l'île (**prop. indépendante**). Tout à coup, au-dessus de ma tête, jaillit un grand flot de lumière douce (**prop. indépendante**). Le phare était allumé (**prop. indépendante**). Laissant toute l'île dans l'ombre, le clair rayon allait tomber au large sur la mer, et j'étais là perdu dans la nuit, sous ces grandes ondes lumineuses (**prop. coordonnées**).

Alphonse Daudet, *Lettres de mon moulin*, « Le Phare des Sanguinaires », 1869.

(35) Les propositions relatives (p. 75)

1 ▶ Le journaliste qui interroge le ministre pose des questions pertinentes. — Coline sort d'un spectacle où tout le public riait. — Toi qui parles italien couramment, peux-tu me traduire cette notice ? — Le plat pour lequel j'ai incontestablement une préférence, c'est le couscous. — Les mauvaises habitudes que prennent les enfants sont difficiles à perdre. — Le chanteur pour lequel Léa a le plus d'admiration vient de sortir un album.

2 ▶ *On lira les phrases à haute voix pour éviter les barbarismes. On entend, en effet, bien trop souvent un mauvais usage des pronoms relatifs composés que l'on omet d'accorder avec l'antécédent.*
Les pronoms relatifs simples s'imposent.
Mila songe déjà à la soirée à **laquelle** sa cousine Marie l'a invitée. — Les tisanes **dont** tu me vantes les vertus n'ont aucun effet sur moi. — Ceux **qui** ne perçoivent plus de salaire depuis des mois touchent le RMI. — Le parking dans **lequel** nous avons garé notre voiture est gardé jour et nuit. — Les arbres sur **lesquels**, [...], nous grimpions ont été abattus [...]. — J'aime les fleurs **que** tu as cueillies [...]. — Les factures **dont** le comptable fait état devront être vite réglées. — Le lycée **où** M. Terrier a fait ses études vient de changer de nom.

3 ▶ M. Duverger retourne chaque année dans le village **où sont nés ses parents**. — M. Dussolier est abonné à un journal **qui paraît tous les jours**. — En fin de journée, les Africains se réunissent sous l'arbre **où se tiennent les palabres**. — Une boutique **où l'on vend des vêtements** vient d'ouvrir dans le quartier. — Mme Wagner a remplacé ses lunettes par des lentilles **qui sont invisibles**. — On ne ramasse que les coquillages **qui sont comestibles**. — Les places **que nous avons réservées** se trouvent au premier rang.

4 ▶ *Attention aux accords (verbe et adjectif) induits par le changement de nom !*
La colline **sur laquelle** poussent des vignes est **exposée** au sud. — **Le résultat auquel** le mathématicien est arrivé est **exact**. — **Les employés auxquels** je m'adresse me **renseignent** précisément. — **La situation dans laquelle** se trouve l'espion lui coûtera la vie. — On installe **une lunette avec laquelle** les astronomes observent les étoiles lointaines.

36) Les conjonctions de subordination (p. 77)

1 ▶ **Quoique** la route soit étroite, […]. — **Lorsque** les glaces polaires auront fondu, […]. — J'enregistrerai l'émission **puisqu**'elle est programmée trop tard. — Il est indispensable de ramasser les tomates **avant qu**'elles ne pourrissent. — Le mur des défenseurs devra reculer **comme** la règle du jeu l'exige. — Le magicien se doute **que** les spectateurs voudraient connaître son secret. — Nous filtrerons l'eau **jusqu'à ce qu**'elle soit enfin potable.

2 ▶ *D'autres choix que ceux que nous proposons sont évidemment possibles.*
Exemple : Comme (Puisque, Étant donné que, Parce que, Attendu que, Aussitôt que, Pour peu que…) la récolte de choux-fleurs est abondante, les prix baissent.
Comme la récolte de choux-fleurs est abondante, […]. — Léon ne reçoit plus son magazine **puisqu**'il n'a pas renouvelé son abonnement. — **Bien qu**'on aperçoive des traces, […]. — Les riverains ont renforcé la digue **avant que** le fleuve n'envahisse la ville. — **Dès que** la marée se sera retirée, […]. — **Pour qu**'un avion décolle, […].

3 ▶ *La liaison (quand_il, prononcée [t]) entraîne de fréquentes erreurs.*
Les substitutions (quand → lorsque et quant à → en ce qui concerne) sont rapides et parfaitement efficaces pour éviter les fautes.
Quand le moniteur aura installé le trampoline, […]. — […] ; **quant** au retour, il le fera en train. — **Quand** l'alarme incendie retentit, […]. — Le col du Lautaret est fermé **quand** la neige est trop abondante. — **Quant** à faire le ménage de votre chambre, […] — […] ; **quant** à la glace à la vanille, elle a fondu. — Le tournage pourra débuter **quand** le décor aura été installé. — […] ; **quant** à s'y établir, il verra plus tard.

4 ▶ *On peut opérer des substitutions pour si : tellement lorsqu'il est adverbe et comme lorsqu'il s'agit d'une conjonction de subordination.*
Le manteau de la cheminée est **si** haut qu'un homme **s'y** tient debout. — Pourquoi le tigre est-il un animal **si** cruel alors qu'il paraît **si** doux ? — **Si** le vent souffle trop fort, […]. —

[...], c'est à **s'y** méprendre. — La facture n'est pas **si** élevée qu'il l'avait prévu ; [...] — **Si** tu veux rencontrer un expert de la pêche, va voir Serge, il **s'y** connaît. — **Si** vous visitez les souks marocains, soyez prudents : on **s'y** perd facilement. — **Si** tu connais le sens de ce proverbe « Qui **s'y** frotte **s'y** pique », dis-le-moi.

(37) Les propositions subordonnées conjonctives (p. 79)

> *Certaines grammaires opèrent une distinction entre subordonnées conjonctives compléments de verbe, indispensables, et subordonnées conjonctives compléments de phrase, qui peuvent être supprimées. Nous n'abordons pas cette distinction qui est bien difficile.*
> *Exemple : J'attends que le feu soit au vert.*
> *Le critère de la suppression n'est pas opérationnel, même si « que le feu soit au vert » est complément de verbe.*
> *Il faut alors revenir à la seule distinction : complément d'objet / complément circonstanciel :*
> *J'attends que le feu soit au vert.*
> *J'attends le feu vert. → « que le feu soit au vert »→ complément d'objet*
> *J'attends le feu vert quand je suis au carrefour.*
> *J'attends le feu vert. → « quand je suis au carrefour » → complément circonstanciel*

1 ▶ *Dans les deux dernières phrases, nous avons deux subordonnées conjonctives : l'une complétive, l'autre circonstancielle.*
<u>Si vous vous arrêtez de fumer,</u> vous vous sentirez mieux . — <u>Lorsque les hirondelles se rassemblent,</u> c'est la fin de l'été . — <u>Pendant que les Japonais dorment,</u> les Européens profitent du soleil . — Pensez-vous <u>que les derniers essais de ce nouvel Airbus sont satisfaisants ?</u> — <u>Pour autant que je sache,</u> le premier train à vapeur a circulé en Angleterre . — <u>Avant que tu n'oublies,</u> je te rappelle <u>que nous dînons chez les Martin.</u> — <u>Comme ce lac est une réserve d'eau douce,</u> il serait bon <u>qu'il soit protégé.</u>

2 ▶ *Une seule subordonnée circonstancielle (phrase 7).*
Ces employés en grève espèrent **qu'ils seront augmentés**. — L'orateur réclame **que le public soit un peu plus silencieux**. — Les agriculteurs craignent **que les autorisations d'arrosage soient suspendues**. — Ce portillon électronique permet **que les bagages des voyageurs soient contrôlés**. — La population locale déplore **que la fonderie soit fermée**. — L'ensemble des locataires demande **qu'un digicode soit installé**. — Je prendrai une décision définitive **quand je rentrerai**. — Les riverains exigent **que des murs antibruit soient posés le long de l'autoroute**.

3 ▶ **Alors qu'elle poursuivait sa route**, une tempête [...] contraignit la caravane à se mettre à l'abri. — Nous piétinons devant les grilles, **afin que quelqu'un vienne nous ouvrir.** — Vous allez prendre un coup de soleil **si vous ne vous protégez pas.** — La pintade sera plus savoureuse **quand vous l'aurez farcie.** — **Avant qu'il ne ferme**, nous nous rendrons au centre commercial. — [...], le peintre nettoie ses pinceaux **pour qu'ils ne s'abîment pas.**

4 ▶ *Exercice qui met en évidence la diversité des constructions possibles pour exprimer à peu près une même idée.*
Le médecin annonce au malade que son rythme cardiaque est trop élevé. — Le patient que soigne ce dermatologue devrait guérir rapidement. — Les élèves attendaient avec impatience que des prix leur soient distribués. — Les livres que distribue le principal récompensent les meilleurs élèves. — Je comprends que tu refuses cette proposition. — La proposition que tu refuses n'était pas assez séduisante.

(38) Les propositions infinitives (p. 81)

Si l'emploi des propositions infinitives est relativement facile pour celui qui écrit ou qui parle, l'analyse grammaticale est ardue. On procédera donc avec beaucoup de méthode pour effectuer les exercices.

1 ▶ *La 5ᵉ phrase présente une réelle difficulté. En effet, le groupe pour le fermer n'est pas une subordonnée infinitive puisqu'il n'est pas complément d'objet direct du verbe (le groupe prépositionnel est complément circonstanciel de but) et que le sujet du verbe fermer est le même que celui de la principale (elle).*
Le chasseur aperçoit les lapins détaler au premier coup de fusil. — Le public écoute l'orchestre entamer l'*Hymne à la joie* de Beethoven. — Les spectateurs regardent décoller les montgolfières. — Le chef de chantier vit l'énorme grue déplacer les poutrelles. — Valérie entend couler l'eau du robinet ; elle se précipite pour le fermer. — Au marché, on découvre les maraîchers vanter la qualité de leurs produits.

2 ▶ Barnabé voit **la discussion s'éterniser inutilement.** — L'entraîneur sent **ses joueurs faiblir en seconde mi-temps.** — Les personnes dépensières voient **fondre leurs économies.** — Jessy entend **son petit chat miauler.** — On voit **les voiliers passer près de la bouée rouge.**

3 ▶ [...], tu as entendu **le téléphone sonner.** — [...] les badauds observent **les soldats défiler.** — [...] Élisabeth sent **son état s'aggraver.** — [...] Gauthier écoute **chanter les cigales.** — [...] grand-père laisse **Arthur lui lire le journal.** — [...] l'éleveur regarde **dépérir son troupeau.** — [...] il la fera **contrôler par un spécialiste.**

4 ❭ *Bien distinguer la subordonnée relative et la subordonnée circonstancielle.*
Lorsqu'elle se présente (**prop. subordonnée circonstancielle**), ne laissez pas passer la chance . (**prop. subordonnée infinitive**) — M. Delmas revisite le quartier qu'il a habité pendant dix ans . (**prop. subordonnée relative**) — Vous faites cuire le rôti pour qu'il soit à point vers midi . (**prop. subordonnée conjonctive**) — Le vendeur accepte que la garantie soit prolongée de deux ans . (**prop. subordonnée conjonctive**) — L'usine ne fermera pas bien que les commandes diminuent sensiblement . (**prop. subordonnée conjonctive**) — Le gardien du musée laisse entrer les visiteurs . (**prop. subordonnée infinitive**)

(39) La voix passive (p. 83)

1 ❭ *Aucune difficulté pour repérer les compléments d'agent. Bien noter le temps marqué par l'auxiliaire.*
Une avalanche coupe la route. — Un violent orage détruisit les récoltes. — Les généraux avaient signé la paix. — Ce bruit vous a surpris. — Ses grands parents élèveront la fillette. — Les décorations de Noël t'émerveilleraient. — Les maîtres nageurs surveillaient la piscine.

2 ❭ *Dans la 4ᵉ phrase, le complément circonstanciel (peu à peu) peut être placé en début de phrase.*
Le repas fut apprécié par les convives. — Les billets des voyageurs sont vérifiés par le contrôleur. — La pénicilline a été découverte par Alexander Fleming. — Le Soleil sera peu à peu éclipsé par la Lune. — La contrefaçon de vêtements de luxe est interdite par la loi. — Le dompteur avait été surpris par la réaction du fauve. — Le tremblement de terre a été ressenti par tous les habitants de l'île de Futuna.

3 ❭ *Dans la 4ᵉ phrase, nous avons deux verbes pour un seul sujet.*
L'adverbe (toujours) s'intercale entre l'auxiliaire avoir « a », et le participe passé « été ». Dans la dernière phrase, le verbe est au passé du conditionnel.
La fusée *Ariane* plaça les deux satellites sur orbite. — Un conservateur admirateur de Chagall réalisera l'exposition. — Une habile couturière avait confectionné le costume de l'acteur. — Les eaux du torrent arrachent, puis roulent ces énormes rochers. — De hardis marins ont toujours sillonné la Méditerranée. — Un mécanicien aurait détecté la panne à l'aide d'un ordinateur.

4 ❭ *Dans la dernière phrase, le complément d'agent doit être impérativement placé directement après le verbe, sinon il y a ambiguïté : on pourrait penser que les messages sont incompréhensibles pour tous les internautes, alors que la phrase active* *indique que ce sont certains internautes qui envoient volontairement des messages incompréhensibles.*

Dans le métro, les journaux sont lus par des milliers de personnes. — Les plans de l'hôtel des Finances avaient été réalisés par un architecte de talent. — Tous les documents furent conservés par l'archiviste dans des armoires blindées. — Cette porte pourrait être ouverte par n'importe qui. — La grille de mots croisés sera complétée par quelques cruciverbistes seulement. — La chute du motard aurait été provoquée par une flaque d'huile sur la chaussée. — Les aventures de Tintin et Milou ont été dessinées par Hergé lui-même. — Les messageries sont inondées par des internautes de courriers incompréhensibles.

40 Les modes et les temps des verbes (p. 85)

1 ▶ *On ne demande pas le temps du mode, mais vous pouvez le rechercher (attention la 1ʳᵉ phrase est à la voix passive…).*

[…] le malheureux rameur **fut pris** (indicatif – passé simple) de peur panique. — S'il **faisait** (indicatif – imparfait) un héritage, cet agriculteur **agrandirait** (conditionnel – présent) son exploitation. — Lorsque le tocsin **retentissait** (indicatif – imparfait), les paysans **se réfugiaient** (indicatif – imparfait) dans l'église. — […] **réfléchissez** (impératif – présent) un peu. — Je **m'étonne** (indicatif – présent) que tu **prétendes** (subjonctif – présent) te baigner […]. — Lorsque vous **arriverez** (indicatif – futur simple) au carrefour, **tournez** (impératif – présent) […]. — Il est possible que le niveau de la Saône **atteigne** (subjonctif – présent) six mètres à Mâcon. — […] **branche** (impératif – présent) le compresseur.

2 ▶ *Pour les temps passés et futurs, on pourra être plus précis en nommant exactement ces temps comme nous le faisons dans la correction.*

Certains alchimistes **tentaient** (passé – imparfait) de transformer le plomb en or. — Si tu **as** (présent) mal à la tête, **prends** (présent impératif) ce cachet : il te **calmera** (futur – futur simple). — […] j'**avais converti** (passé – plus-que-parfait) mes euros en yens. — Lorsque Ketty **eut consulté** (passé – passé antérieur) le menu, elle **choisit** (passé – passé simple) une pizza […]. — Des bénévoles **secourent** (présent) les personnes […]. — Quand Alexandre **aura rechargé** (futur – futur antérieur) la batterie, il **pourra** (futur – futur simple) téléphoner. — Qui **distribue** (présent) les quotidiens gratuits […] ?

3 ▶ *L'extrait de Muriel Barbery a l'avantage de présenter un exemple de tous les modes.*

tenter (infinitif présent) – **m'affole** (indicatif présent) – **garni** (participe passé) – **sonne** (indicatif présent) – **en articulant** (gérondif) – **tend** (indicatif présent) – **voudrions** (conditionnel présent) – **octroie** (subjonctif présent) – **appelez**-moi (impératif présent) – **viendrai** (indicatif futur)

41) L'indicatif (p. 87)

> Avant d'aborder les exercices de ce chapitre, on pourra se référer à un ouvrage de conjugaison (Bled conjugaison ou 50 règles d'or de l'orthographe).

1 ▶ Je **revois** (présent) ce film [...]. — [...] ces tableaux **vaudront** (futur simple) une petite fortune. — Le ciment **avait durci** (plus-que-parfait) [...]. — Les aventures de Fantômette **passionnaient** (imparfait) les fillettes. — Aussitôt que Rachid **se fut aperçu** (passé antérieur) de son erreur, [...]. — Tu n'**es** pas **parvenu** (passé composé) à lire ce message [...] ! — [...] M. Cadet **vécut** (passé simple) [...] en Espagne. — Dès que l'hiver **sera venu** (futur antérieur), [...].

2 ▶ [...] ; la station spatiale **émet** en direction de la Terre. — [...], les livres imprimés n'**existaient** pas ; on les **copiait** à la main. — [...], la passerelle nous **permettra** de traverser. — [...], il **assembla** les premiers éléments. — [...], le routier **s'accordera** un moment de repos.

3 ▶ *Dans la 1ʳᵉ phrase, on acceptera l'imparfait : Napoléon attendait des renforts (l'action a duré !).*
[...], Napoléon **attendit** des renforts qui ne **vinrent** jamais. — Comme la plante **dépérissait**, tu la **transplantas** [...]. — Un éclair **zébra** le ciel et la foudre **s'abattit** sur un pylône. — Les tôles du hangar **vibraient**, alors le propriétaire les **fixa**. — [...], les paysans **braconnaient**. — La voiture ne **démarrait** plus, alors le garagiste **nettoya** le carburateur.

4 ▶ *Un passage par l'oral, facilitera le travail. Attention à l'accord du participe passé dans la 2ᵉ phrase.*
Aussitôt que vous **appuyâtes** sur le bouton de droite, [...]. — La tour de bureaux que l'architecte **a conçue** est inaugurée aujourd'hui. — Quand la cuisinière **aura farci** la dinde, [...]. — Dès que Lucas **avait économisé** un peu d'argent, [...]. — Dès que je **parvins** au dixième étage, [...]. — On boit sans crainte l'eau que les techniciens **contrôlent**.

42) L'impératif (p. 89)

> La difficulté orthographique (pas de -s à la 2ᵉ personne du singulier pour les verbes du 1ᵉʳ groupe et quelques verbes du 3ᵉ groupe) est bien réelle. Y veiller.

1 ▶ Vous répondez / Répondez — Tu souffres / Souffre — Vous faites / Faites — Tu râpes / Râpe — Nous nous asseyons / Asseyons-nous — Tu ne sors pas / Ne sors pas — Tu consens / Consens

2 ▶ *Les formes de quelques verbes du 3ᵉ groupe seront mieux identifiées avec un passage par l'oral.*
[…], **réunis** tes amis et **prépare** un buffet froid. — **Acquitte-toi** de la tâche qui t'est confiée […]. — **Confrontons** nos points de vue […]. — Ne **dites** pas que vous ignorez la date […]. — **Sois** persévérante, **aie** du courage, **ne reviens pas** sur ta décision. — **Rapporte** ton caddie […]. — […] **bois** ce jus d'orange.

3 ▶ *En plus des formes et des terminaisons à bien orthographier, il faut placer correctement les pronoms compléments. À l'impératif, ils se trouvent après le verbe.*
prends / prenons / prenez — Mélange-le / Mélangeons-le / Mélangez-le — fais / faisons / faites — Distribue / Distribuons / Distribuez — retourne / retournons / retournez — Retiens / Retenons / Retenez — N'oublie pas / N'oublions pas / N'oubliez pas — Rappelle-toi / Rappelons-nous / Rappelez-vous — compte / comptons / comptez — note-les / notons-les / notez-les — répartis / répartissons / répartissez

4 ▶ *Là encore, un passage par l'oral facilitera le travail.*
Verses-**y** du lait. – Imprimes-**en** une partie. – Réserves-**en** deux. – Complète-**la**. – Contacte-**le**. – Pioches-**y** une carte.

(43) Le conditionnel (p. 91)

1 ▶ *Pour retrouver les formes correctes, on consultera un ouvrage de conjugaison.*
[…] cet agent secret ne **trahirait** ses compagnons. — […] ce flacon **contiendrait**-il un breuvage miraculeux ? — […] nous **prévoirions** une petite pause. — Je suis sûre qu'un filet de citron **améliorerait** le goût […]. — Pourquoi ne **teindrais**-tu pas tes cheveux en blond ? — […] Marc **devrait** s'assurer de la solidité […].

2 ▶ *Penser à intercaler l'adverbe de la 1ʳᵉ phrase entre l'auxiliaire et le participe passé.*
[…] Claire **aurait** volontiers **revu** la maison […]. — […] tu **aurais provoqué** une catastrophe. — […] le routier **serait arrivé** à temps […]. — […] ce chien **n'aurait pas mordu** les passants. — […] vous m'**auriez permis** de rentrer […]. — […] M. Lacroix **aurait pu** effectuer ses achats.

3 ▶ *Dans la dernière phrase, on trouve une difficulté courante : confusion entre les terminaisons homophones des 1ʳᵉˢ personnes du singulier du futur simple et du conditionnel présent. Un remplacement par une autre personne permet de lever toute ambiguïté.*
Si l'obscurité s'installait, on confondrait les couleurs. — Si l'arbitre sifflait, nous nous arrêterions de jouer. — Si on me faisait des compliments, je rougirais. — Si les conditions étaient favorables, les avions décolleraient. — S'il faisait chaud, vous prendriez une douche. — Si je maîtrisais mon trac, je pourrais entamer la chanson.

4 ▶ *Un passage par l'oral impose les réponses.*
On notera que le verbe de la proposition qui indique la condition n'est jamais au
conditionnel. Ainsi seront évités les barbarismes du type : S'il y aurait...
Ne pas oublier les deux r du verbe recourir.
[...] les téléspectateurs **éteindront** leur récepteur. — [...] nous **fermerons** les fenêtres. —
[...] la tache **disparaîtrait** [...]. — [...] il **rebroussera** chemin. — [...] il **lirait** son
horoscope. — [...] il **participera** à un vol spatial.

(44) Le subjonctif (p. 93)

1 ▶ *Dans la 4ᵉ phrase, on note que la terminaison du présent du subjonctif du verbe rire*
est homophone de celle du présent de l'indicatif.
Il est souhaitable que tu ne **perdes** pas toutes tes affaires. — Il n'est pas exclu que
l'astrologue **convainque** les personnes crédules. — Il est fâcheux qu'il **suffise** d'un grain de
sable pour tout gâcher. — [...] il faut que je la **raccourcisse**. — Il n'est pas surprenant que
le public **rie** [...]. — Pour que je **choisisse** un lecteur MP3, je dois comparer les modèles.

2 ▶ Il serait étonnant que tu **obtiennes** l'autorisation. — Il arrive que mes parents **aillent**
au marché. — Il est temps que nous **profitions** du soleil. — Avec l'âge, il faut que je
m'enhardisse. — Il se peut que vous **réalisiez** vos rêves. — Je tiens à ce que tu me
rejoignes.

3 ▶ Je suis étonné que vous **ayez accordé** autant d'importance [...]. — Il serait normal que
l'accusé **ait recouru** aux services d'un avocat. — Les techniciens ont déploré que la fusée
n'ait pas atteint son orbite. — Il est dommage qu'Oscar **ait retiré** sa candidature [...]. —
[...] il faut que tu **aies encollé** les murs. — Bien qu'il **ait pris** un solide repas, ce coureur
souffre [...].

4 ▶ *Si l'on veut être rigoureux, on note la présence de deux imparfaits du subjonctif.*
Néanmoins, nous ne les avons placés qu'à titre anecdotique. L'emploi du présent ou du
passé du subjonctif est désormais de règle.
[...] que le conseil municipal lui **fît** confiance. — [...] qu'un bouquetin **surgisse** au détour
du sentier. — [...] que le barrage **retînt** les branches et les troncs d'arbres.

(45) Le participe présent et le participe passé (p. 95)

1 ▶ *Une lecture orale permet de distinguer aisément le participe présent du participe*
passé. Attention à l'accord de deux participes passés !
Nous admirons cette femme **effectuant** le tour du monde. — Le tournoi de Marseille est
remporté par un joueur bien **connu**. — Devez-vous croire ce mage vous **promettant** monts

et merveilles ? — [...] cent dix ont été **admis** à passer l'oral. — Le médecin prescrit un médicament au malade **souffrant** de la grippe. — La réduction **consentie** [...] est importante.

2 ▶ [...] les morceaux de puzzle **formant les bords** ? — **Cultivés** au soleil [...]. — L'arbitre, **écourtant** la partie, [...] ! — **Tirée** à des millions d'exemplaires, cette photographie a **fait** le tour du monde. — L'appartement récemment **loué** par la famille Gachet [...]. — Les ossements **découverts** [...].

3 ▶ *Le sens guide évidemment les réponses.*
Morgane ne veut rien **décider** [...]. — La petite sœur de Steven a **dessiné** [...]. — L'ouragan a **provoqué** [...]. — Pour **fabriquer** un violon, [...]. — Pour **effectuer** un saut parfait, [...]. — Nathan a **rédigé** son rapport [...].

4 ▶ *Exercice qui permet de distinguer les participes présents des adjectifs verbaux.*
Cette nouvelle console électronique est très **amusante**. — **La tarte** que tu viens de préparer est vraiment **appétissante**. — **Cette cavalière débutante** a du mal à maîtriser sa monture. — Ignorant les conseils, **cette skieuse** sort de la piste balisée. — Surtout ne touchez pas **cette casserole** brûlante ; attendez une minute. — Quand il parle, ce vendeur utilise **des expressions courantes**. — Gênant les piétons, **ces voitures devront** être **déplacées**.

(46) L'accord du participe passé employé avec l'auxiliaire *être* (p. 97)

Pour l'accord du participe passé employé avec l'auxiliaire être, la notion de nombre est assez facile à apprécier, sauf dans certains cas pour le pronom personnel on.
Pour les 1re et 2e personnes (singulier et pluriel), le genre n'est pas marqué par le pronom personnel. Une référence au contexte est indispensable pour accorder le participe passé.
En l'absence de référence précise, nous donnerons les deux formes : masculin et féminin.
Quant à la formule de politesse (emploi de vous), elle est peu utilisée à l'écrit et les problèmes orthographiques sont rares.

1 ▶ *Nous proposons dans la 1re phrase des verbes à la voix passive puisqu'il faut utiliser l'auxiliaire être.*
[...] toutes les portes étaient **fermées** et les persiennes **closes**. — La hyène s'est **acharnée** sur le cadavre [...]. — La doyenne de l'humanité est **décédée** [...]. — [...] une nouvelle étoile est **née**. — La montgolfière ne s'est pas **élevée** et elle est **retombée** immédiatement. — [...] ces hameaux seraient **morts**.

2 ▶ Les cosmonautes **sont sortis** dans l'espace [...]. — Nous **sommes allé(e)s** sur la jetée [...]. — Les tableaux de ce peintre **sont devenus** des pièces de grande valeur. — [...], les autocars **sont repartis**. — Tu **es retourné(e)** au rayon « légumes » [...]. — Les diplomates **sont parvenus** à un accord [...]. — [...] ces musiciens **se sont isolés**.

3 ▶ La collection d'été **est arrivée** ; Sophie **s'est précipitée**. — De nouveaux logiciels **sont arrivés** ; les amateurs **se sont précipités**. — Les itinéraires **étaient mal balisés** et les randonneurs **sont retournés** sur leurs pas. — Les voies **étaient mal balisées** et Jeanne **est retournée** sur ses pas.

4 ▶ *Exercice difficile, réservé à des personnes qui souhaitent se perfectionner.*
Dans les trois dernières phrases, la recherche des COD, tous placés après le participe passé, évitera les accords.
Les prévisions météorologiques **se sont révélées** exactes. — Ce candidat **s'est désisté** en faveur de son concurrent, mieux placé. — [...] les espions **se sont trahis**. — [...] Emma **s'est constitué** une collection de poupées. — [...] les deux joueurs **se sont serré** la main. — Les ouvriers **se sont accordé** un temps de pause pour manger un sandwich.

---

47 L'accord du participe passé employé
avec l'auxiliaire *avoir* (p. 99)

> *La recherche du COD peut se révéler difficile et le questionnement que nous proposons dans le chapitre 27 (Qui ? Quoi ?) source d'ambiguïté. Néanmoins, il nous paraît suffisamment fiable et surtout rapide pour l'appliquer lorsque l'on veut accorder, ou non, le participe passé.*

1 ▶ Cathy aurait **voulu** retirer de l'argent, mais elle a **oublié** son code. — Les touristes ont **quitté** les Bahamas [...]. — La guirlande [...] que vous avez **placée** [...] clignote. — Les pièces de la maison que M. Xavier a **fait** isoler restent fraîches. — Ces coureurs ont **battu** le record [...]. — La statue que les employés ont **installée** provient d'une donation.

2 ▶ *Dans la 5ᵉ phrase, présence de deux participes passés dont un seul s'accorde.*
Les allées [...], je les **ai parcourues** de long en large. — Ces moutons grillés, l'ogre les **a engloutis** [...]. — Les erreurs que tu **as su** trouver, tu les **as corrigées** [...]. — Mélissa **a recueilli** les confidences [...]. — Les deux chiffres que tu **as inversés ont faussé** le résultat [...]. — Ses cartes de visite, M. Pisani les **a fait** imprimer [...].

3 ▶ *Dans la dernière phrase, le pronom personnel est complément d'objet indirect.*
Non, je ne les **ai** pas **pliés**. — Oui, ils **l'ont appréciée**. — Non, il ne les **a** pas **déchargés**. — Non, nous ne **l'avons** pas **reçue**. — Oui, il leur **a répondu**.

4 ▶ *Deux difficultés : Il est entré une bizarre petite femme... (verbe à la forme imper-sonnelle ; le sujet grammatical est il, donc pas d'accord même si c'est une femme qui fait l'action) ; puis a tiré d'un gousset, augmentée du pourboire, la somme exacte... (le nom qualifié par le participe passé employé comme adjectif est postposé).*

J'avais déjà **commencé** à manger lorsqu'il est **entré** une bizarre petite femme qui m'a **demandé** si elle pouvait s'asseoir à ma table. [...] Elle a **appelé** Céleste et a **commandé** immédiatement tous ses plats d'une voix à la fois précise et précipitée. En attendant les hors-d'œuvre, elle a **ouvert** son sac, en a **sorti** un petit carré de papier et un crayon, a **fait** d'avance l'addition, puis a **tiré** d'un gousset, **augmentée** du pourboire, la somme exacte qu'elle a **placée** devant elle. À ce moment, on lui a **apporté** des hors-d'œuvre qu'elle a **englouti**s à toute vitesse.

Albert Camus, L'Étranger, © Éditions Gallimard.

(48) La concordance des temps (p. 101)

> *Un passage par l'oral facilitera l'application de la concordance des temps pour les trois premiers exercices.*

1 ▶ *Deux participes passés employés avec l'auxiliaire avoir s'accordent avec les COD.*

Le commissaire [...] relisait les témoignages qu'il **avait recueillis**. — Dès que tu **auras essuyé** les meubles [...], tu passeras l'aspirateur. — Après qu'il **eut pris** une profonde inspiration, le sauteur s'élança. — J'ai enfin retrouvé les photographies que j'**avais égarées**. — Quand Mathias **aura écouté** notre message, il nous répondra [...]. — Les examens des bagages contredisent ce que Marco **a déclaré** au douanier. — Lorsque tout **s'est éteint** [...], nous avons maudit la panne.

2 ▶ *Dans les deux dernières phrases, les verbes doublent la consonne r.*

[...] vous n'**aurez** pas besoin d'arriver en avance. — [...] il n'**engloutirait** pas ses économies. — [...] nous **retrouverions** notre route. — [...] vous vous **protègerez** la peau avec une crème. — [...] la moissonneuse-batteuse **pourra** entrer en action. — [...] nous **verrions** un film comique américain.

3 ▶ *Les terminaisons présentent des distinctions parfaitement audibles.*

Tes parents **font** des sacrifices pour que tu **entreprennes** ces études. — **Pouvez**-vous confir-mer votre commande afin que nous l'**enregistrions** ? — Mélanie nous **quitte** parce qu'elle **a** un rendez-vous urgent. — Le vendeur **fait** le nécessaire pour que le client **reparte** satisfait. — Il **est** vraiment dommage que ce tableau ne te **plaise** pas. — Les techniciens du centre spatial **doutent** que la fusée **parvienne** à décoller.

4 ▶ *Il est bon de substituer aux verbes proposés – pour lesquels il n'y a pas de distinction phonique des terminaisons – des verbes pour lesquels cette distinction est audible.*
Surpris par le déclenchement de l'alarme, le voleur **s'enfuit**. — Le gibier échappera aux chasseurs pour peu qu'il **s'enfuie**. — On admet que ce billet à prix réduit **exclut** tout échange. — Il est possible que l'arbitre **exclue** le joueur indiscipliné. — Tu es certain que ton petit cousin **croit** encore au Père Noël. — Je regrette vraiment que Jean-Bernard ne me **croie** pas.

(49) Les styles direct, indirect et indirect libre (p. 103)

1 ▶ Sylvia m'a dit qu'elle ne pourrait pas m'accompagner au théâtre. — Justin signale à Kader que ses SMS sont totalement incompréhensibles. — Tous les passagers pensent que l'atterrissage devrait bien se passer. — Ursula affirme qu'elle n'a jamais vu un danseur aussi gracieux. — Florent m'apprend, tout joyeux, qu'il a gagné le gros lot de la tombola. — Mon frère rappela que les portes du stade n'ouvriront qu'à quinze heures. — Robin avoue qu'il n'a jamais pu retenir le titre de ce film.

2 ▶ *Dans la 1ʳᵉ phrase, le verbe est à l'impératif, car l'entraîneur s'adresse directement aux gymnastes.*
L'entraîneur s'adresse aux gymnastes : « Maîtrisez vos gestes ! » — La caissière demande au client : « Comment comptez-vous régler vos achats ? » — Cet acteur répète sans cesse : « Le texte de mon rôle m'intéresse beaucoup. » — François me confirme : « Je suis en mesure de vous accueillir chez moi. » — Le présentateur annonce : « Le président interviendra dans cinq minutes. » — L'office du tourisme précise : « Le tournoi de golf aura bien lieu. »

3 ▶ *Les personnes auxquelles les verbes sont à conjuguer doivent être repérées sur les formes de l'impératif.*
Il ne faut pas que tu immobilises ton véhicule [...]. — Il faut que vous évitiez de respirer les vapeurs d'essence. — Il serait bon que nous nous abonnions à ce magazine [...]. — Il est urgent que tu rappelles ce numéro [...]. — Il serait opportun que tu essaies de convaincre les hésitants. — Il me tarde que tu me rejoignes [...]. — Je suis d'avis que tu improvises [...]. — Il se peut que vous attendiez [...].

Réponses

4 ▶ *Pour la 2ᵉ phrase, nous avons employé la 2ᵉ personne du pluriel, mais le guide peut tutoyer l'alpiniste :* **Laisse-moi porter ton sac.** *Dans la dernière phrase, on peut construire la phrase ainsi :* **La cuisinière posa le plat sur la table et souhaita : « Bon appétit à tous ! »**

Le boucher s'adressa à la cliente et lui conseilla : « Prenez un rôti de veau. » — Le guide propose à l'alpiniste en difficulté : « Laissez-moi porter votre sac. » — Mathilde se plaint : « Mon travail me fatigue ! » — Le médecin remet l'ordonnance au malade et lui conseille : « Respectez-la. » — César peste : « Le sort m'attribue de mauvaises cartes ! » — La cuisinière posa le plat sur la table et souhaita à tous : « Bon appétit ! »

50 Les niveaux de langue (p. 105)

Nous avons délibérément placé cette leçon en fin d'ouvrage pour bien marquer que la grammaire et le vocabulaire permettent d'adapter ses paroles ou ses écrits aux situations sociales.

En fonction des circonstances on dira : Je suis fatigué. / Je suis épuisé (ou fourbu). / J'suis crevé ! Autant le 3ᵉ énoncé marquera socialement son auteur dans une conversation entre personnes inconnues (pensons à certains jeunes qui s'adressent à un employeur potentiel…), autant le 2ᵉ paraîtra incongru entre amis. On ne possède véritablement sa langue qu'en évoluant à son aise parmi les niveaux de langue (donc parmi les liens sociaux), sans jamais être pris au dépourvu.

1 ▶ Dès que nous fûmes désaltérés, nous partîmes. (**soutenu**) — Les tours du château fort dominent la vallée de la Grosne. (**courant**) — Je vous prie de croire en l'expression de mes meilleurs sentiments. (**soutenu**) — Le médecin est venu soigner le grand-père de Blandine. (**courant**) — Y zont changé le programme au dernier moment, sans rien dire. (**familier**)

2 ▶ *Rechercher la définition de* **chasuble** *dans un dictionnaire et ne retenir que l'extension de sens.*

Cette personne est de mauvaise humeur lorsqu'elle est dérangée. — On voit un éclair dans le ciel et le bruit inquiétant du tonnerre nous fait mal aux oreilles. — Cette robe devrait être accompagnée d'un collier de diamants. — Vos arguments sont bons et je suivrai tous vos conseils. — Les habitants de l'immeuble parlent entre eux du salaire du gardien.

3 ▶ *D'autres constructions sont possibles. Exemple pour la 2ᵉ phrase :* **Comme il y a beaucoup de monde à la fête, on se perd facilement.**

Qui a pris ma place de parking ? — À la fête, il y a beaucoup de monde et on s'y perd facilement. — Voilà quelqu'un qui n'a pas perdu de temps pour finir son assiette. — Avec ce bruit, on ne comprend pas un mot de ce que vous dites. — Pour ouvrir la porte, il n'y a qu'à trouver la bonne clé.

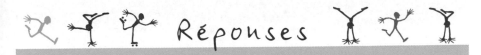

4 ▶ *Pour les besoins de l'étude grammaticale, nous proposons une version édulcorée de la prose de Frédéric Dard qui perd ainsi beaucoup de sa saveur...*
Le lecteur attentif remarquera que Frédéric Dard emploie des formules ou tournures soutenues (En bon fils affectueux que je suis ; je leur dénie le droit...) aux côtés de phrases ou de termes familiers, voire argotiques.

Comme je suis un bon fils affectueux, je décide de profiter de mon escapade à Paris pour aller embrasser ma brave Félicie. Il ne faut jamais perdre une occasion de faire plaisir à sa mère, mes amis. Des idiots galonnés apprennent aux jeunes recrues que la patrie c'est leur mère ; je démens vigoureusement, je les attaque pour blasphème, je leur refuse le droit d'oser propager une pareille image. C'est notre mère qui est notre vraie patrie.

Pas de chance : maman n'est pas à la maison. Notre vieille femme de ménage, toujours triste, fait les vitres, juchée sur un escabeau. Elle m'explique que Félicie est allée faire des courses à Paris, puis, rapidement, elle se met à pleurer du haut de son escabeau. Il lui arrive toujours de nouveaux malheurs à cette pauvre femme.

D'après Frédéric Dard, « San-Antonio », *Bravo, docteur Béru !*, Fleuve noir, 1968.

Tableaux des classes et des fonctions

CLASSES GRAMMATICALES

MOTS VARIABLES

Classes	Sous-classes	Exemples	Définitions
noms Ils ont un genre : masculin ou féminin. ↑ Chapitre 5.	noms communs	**masculins :** *un cheval, le couteau...* **féminins :** *une réaction, une lueur...*	Ils désignent, **en général**, des êtres, des objets, des actions, des états, des qualités, des relations... Ils varient en nombre et peuvent être précédés d'un déterminant.
	Ils peuvent être composés, c'est-à-dire formés de mots **généralement** unis par un trait d'union.	*une demi-heure,* *un porte-clés,* *des sous-titres...*	
	noms propres Ils prennent toujours une majuscule.	*Victor Hugo, l'Espagne, Lille, le Rhône, Pâques, le Panthéon...*	Ils désignent, **en particulier**, des êtres, des lieux, des monuments, des fêtes...
déterminants Ils précèdent le nom et peuvent en indiquer le genre et/ou le nombre. Ils s'accordent avec le nom (sauf pour les adjectifs numéraux cardinaux).	articles ↑ Chapitre 6.	**définis :** *le, la, les, au, aux* **indéfinis :** *un, une, des* **partitifs :** *du, de l', de la*	
	adjectifs possessifs ↑ Chapitre 7.	**singuliers :** *mon, ma, ton, ta, son, sa, notre, votre, leur* **pluriels :** *mes, tes, ses, nos, vos, leurs*	Ils indiquent l'appartenance.

CLASSES GRAMMATICALES

MOTS VARIABLES (suite)

Classes	Sous-classes	Exemples	Définitions
déterminants *(suite)*	adjectifs démonstratifs → Chapitre 8.	*ce, cet, cette, ces*	Ils marquent ce qu'on montre.
	adjectifs indéfinis → Chapitre 10.	*nul, plusieurs, chaque, quelque(s), différent(s), divers, tout...*	
	adjectifs numéraux cardinaux → Chapitre 11.	*deux pas, dix heures, trente litres, mille euros...*	Ils indiquent le nombre.
	adjectifs numéraux ordinaux → Chapitre 11.	*la troisième note le vingtième étage*	Ils indiquent le rang.
	adjectifs interrogatifs → Chapitre 9.	*quel, quelle, quels, quelles...*	Ils indiquent un questionnement.
	adjectifs exclamatifs → Chapitre 9.	*Quel brouillard ! Quelle audace !*	Ils traduisent l'étonnement.
adjectifs qualificatifs → Chapitre 12. Ils s'accordent avec les noms qu'ils caractérisent.	participes passés → Chapitre 42. participes présents → Chapitre 42.	*une voix forte Le fruit est mûr.* *un sommeil agité* *une chienne obéissante*	Ils peuvent être placés avant ou après le nom ; ils sont parfois séparés du nom.

Tableaux des classes et des fonctions

CLASSES GRAMMATICALES

MOTS VARIABLES (suite)

Classes	Sous-classes	Exemples	Définitions
pronoms Ils remplacent un nom ou un groupe nominal.	**pronoms personnels** → Chapitre 21.	**sujets :** *je, tu, il, elle, on, nous, vous, ils, elles* **compléments :** *me, te, lui, nous, se, moi, lui, soi, eux, en, y*	Les pronoms sujets sont utilisés pour les conjugaisons. Ils désignent souvent des personnes ou des objets (3e personne).
	pronoms possessifs → Chapitre 19.	*le mien, la mienne, les miens, le sien, le nôtre, les leurs...*	Ils remplacent un nom précédé d'un déterminant possessif.
	pronoms démonstratifs → Chapitre 18.	*ce, c', celui, celle, ceux, celles, cela, celui-ci...*	Ils remplacent un nom précédé d'un déterminant démonstratif.
	pronoms relatifs → Chapitre 34.	*qui, que, quoi, dont, où lequel, auquel, duquel...*	Ils remplacent un nom, leur antécédent.
	pronoms interrogatifs → Chapitre 20.	*qui, que, quoi, lequel...*	
	pronoms indéfinis → Chapitre 20.	*chacun, personne, certain(s), rien, tout, tous, quelqu'un*	Ils désignent des êtres ou des choses sans précision.

CLASSES GRAMMATICALES

MOTS VARIABLES (suite)

Classes	Sous-classes		Exemples	Définitions
verbes Ils se conjuguent. → Chapitre 22.	auxiliaires		*être, avoir*	Pour conjuguer les autres verbes aux temps composés.
	1er groupe		*poser, éviter... (sauf aller)*	Infinitif en **-er**
	2e groupe		*surgir (surgissant)...*	Infinitif en **-ir** (**-issant**)
	3e groupe		*croire, courir, apprendre...*	Tous les autres verbes

MOTS INVARIABLES

Classes	Sous-classes		Exemples	Définitions
adverbes Ils modifient, précisent, apportent une nuance à un verbe, un adjectif, un autre adverbe. S'ils sont composés de plusieurs mots, ce sont des **locutions adverbiales** → Chapitre 25.	adverbes de manière		*mieux, mal, plutôt, debout, adroitement...*	Beaucoup sont formés sur un adjectif féminin.
	adverbes interrogatifs		*combien ? comment ? où ? pourquoi ? quand ?...*	Ils introduisent une proposition interrogative directe ou indirecte.
	autres adverbes	lieu	*ailleurs, par ici, dehors, là, derrière, dessus, loin...*	
		temps	*tard, déjà, soudain, enfin, bientôt, après, ensuite...*	
		quantité	*aussi, encore, très, autant, moins, guère, assez...*	
		affirmation	*bien sûr, oui, sans doute, vraiment, volontiers...*	
		négation	*non, ne pas, ne guère, ne jamais, aucun, nullement...*	
		doute	*peut-être, environ...*	

Tableaux des classes et des fonctions

CLASSES GRAMMATICALES

MOTS INVARIABLES (suite)

Classes	Sous-classes	Exemples	Définitions
prépositions Si elles sont composées de plusieurs mots, ce sont des **locutions prépositives** → Chapitre 26.		*contre, sur, avec, dans, chez, pendant, sauf, à, parmi, de, depuis, par, entre, malgré...* *à cause de, auprès de, en dehors de, par-delà, jusqu'à, le long de...*	Elles introduisent un complément avec lequel elles forment un groupe.
conjonctions	de coordination → Chapitre 35.	*mais, ou, et, donc, or, ni, car*	Elles relient deux mots ou deux propositions de même nature et de même fonction.
	de subordination → Chapitre 36.	*que, quand, lorsque, si, parce que, quoique, tandis que, après que, afin que, bien que...*	Elles introduisent une proposition subordonnée conjonctive.
interjections Elles n'ont pas de fonction grammaticale précise.	onomatopées et autres interjections	*Plouf ! Chut ! Ouf ! Crac ! Hélas ! Pan ! Aïe ! Ah ! Silence ! Attention ! Bravo ! Eh bien ! En avant ! Par exemple !*	Elles manifestent un bruit, un cri, des sentiments, des avertissements, des surprises.

Attention ! Un même mot peut appartenir à plusieurs classes grammaticales.

Il a reçu une lettre. → verbe *recevoir*

un message reçu → participe passé employé comme adjectif qualificatif

L'employé m'a délivré un reçu. → nom commun

Que désires-tu ? → pronom interrogatif

Je pense que la voie est libre. → conjonction de subordination

Voici l'adresse que tu m'as donnée. → pronom relatif

Que l'eau est froide ! → adverbe

Tableaux des classes et des fonctions

FONCTIONS GRAMMATICALES

FONCTIONS DANS LE GROUPE NOMINAL

Fonctions	Classes des mots exerçant les fonctions	Exemples
épithète Elle apporte une information sur le nom. Elle peut être placée avant ou après le nom. Il peut y avoir plusieurs épithètes pour un même nom. ↑ Chapitre 13.	**adjectif qualificatif**	*une rue étroite* *une petite rue* *une nouvelle rue piétonne* *une rue encombrée* *une rue passante*
	participe passé **participe présent**	
complément du nom Il apporte une information sur le nom. ↑ Chapitre 16.	**nom ou groupe nominal** **pronom** **adverbe** **verbe à l'infinitif** **subordonnée relative**	*une boule de billard* *la montre de quelqu'un* *un conte d'autrefois* *une machine à laver* *un appareil qui permet de râper les carottes*
apposition Elle apporte une information sur le nom. ↑ Chapitre 14.	**adjectif qualificatif** **nom ou groupe nominal** **verbe à l'infinitif** **subordonnée relative**	*Économique, cette voiture respecte l'environnement.* *Joachim, élève de 3e, passera son brevet.* *Skier, voilà une activité hivernale.* *L'événement dont tout le monde parle se déroule à Paris.*
complément de l'adjectif Il apporte une précision sur l'adjectif. Il est toujours placé après l'adjectif. ↑ Chapitre 16.	**nom ou groupe nominal** **pronom** **verbe à l'infinitif** **subordonnée conjonctive**	*un ouvrier adroit de ses mains* *Hervé est content de lui.* *un candidat prêt à répondre* *Anne est heureuse que tu lui aies écrit.*

Fonctions	Classes des mots exerçant les fonctions	Exemples
sujet du verbe Il commande l'accord du verbe. Il peut être placé après le verbe (sujet inversé). Un verbe peut avoir plusieurs sujets. Un sujet peut se rapporter à plusieurs verbes. ↑ Chapitre 24.	**nom ou groupe nominal** **pronom** **verbe ou groupe verbal à l'infinitif** **proposition subordonnée relative ou conjonctive**	*La population de cette ville augmente.* *Nous partons à l'aventure.* *Chacun se prépare.* *Apprendre le code de la route est indispensable.* *Qui veut voyager loin ménage sa monture.* *Qu'il neige ne m'étonnerait pas.*
complément d'objet direct Il indique ce sur quoi (ou sur qui) porte l'action exprimée par le verbe. Il est relié directement (sans préposition) au verbe. Il n'est pas déplaçable et, généralement, ne peut être supprimé. ↑ Chapitre 27.	**nom ou groupe nominal** **pronom** **verbe à l'infinitif** **proposition subordonnée conjonctive**	*Léo attend l'autobus.* *On reconnaît la tour Eiffel.* *Lise attend quelqu'un.* *On la reconnaît.* *Tu as entendu frapper.* *Je pense que tu as raison.*

Tableaux des classes et des fonctions

FONCTIONS DANS LA PHRASE (suite)

Fonctions	Classes des mots exerçant les fonctions	Exemples
complément d'objet indirect Il indique ce sur quoi (ou sur qui) porte l'action exprimée par le verbe. Il est relié au verbe par une préposition. Il n'est pas déplaçable et, généralement, ne peut être supprimé. → Chapitre 28.	**nom ou groupe nominal** **pronom** **verbe à l'infinitif** **proposition subordonnée conjonctive**	*Le journaliste s'adresse à la vedette de ce film.* *Paul se souvient de tout.* *Il s'apprête à reculer.* *On tient à ce qu'il parle.*
complément d'objet second Si un verbe a deux compléments d'objet, c'est celui le moins important pour le sens. Il est introduit par une préposition. → Chapitre 28.	**nom ou groupe nominal** **pronom**	*Joël présente ses excuses au principal.* *Nous leur montrons notre collection de photos.*
compléments circonstanciels Il en existe de différentes sortes : lieu, temps, manière, cause, conséquence, moyen, but et condition. → Chapitres 30, 31, 32.	**nom ou groupe nominal** **groupe pronominal** **adverbe** **verbe à l'infinitif** **gérondif** **proposition subordonnée conjonctive**	*Nous travaillons le samedi.* *Tu restes près de moi.* *Le routier conduit prudemment.* *Je m'arrête pour souffler.* *Tu as trébuché en courant.* *L'avion est en retard parce qu'il y avait du brouillard.*

Fonctions	Classes des mots exerçant les fonctions	Exemples
attribut du sujet Il donne un renseignement sur le sujet par l'intermédiaire d'un verbe. → Chapitre 13.	**nom ou groupe nominal** **pronom** **adjectif qualificatif** **verbe à l'infinitif** **proposition subordonnée conjonctive**	*Ce journal est un quotidien.* *Ce sac de sport est le mien.* *Trois élèves sont absents.* *Son métier est de conduire.* *La réalité est que le temps nous est compté.*
complément d'agent À la voix passive, il indique qui fait l'action exprimée par le verbe. → Chapitre 39.	**nom ou groupe nominal** **pronom**	*Il est poursuivi par la malchance.* *Maéva est aimée de tous.*
attribut du complément d'objet direct Il donne un renseignement sur le complément d'objet par l'intermédiaire d'un verbe. → Chapitre 13.	**nom ou groupe nominal** **adjectif qualificatif**	*Le médecin considère l'opération comme la meilleure solution.* *Le médecin considère l'opération indispensable.*
complément de l'adverbe Il apporte une précision à l'adverbe. → Chapitre 25.	**nom ou groupe nominal** **adverbe** **pronom**	*Vous boirez encore un verre d'eau.* *Il se lève très tôt.* *Je suis parti avant toi.*

Index

Conception graphique de la couverture :
Karine Nayé

Conception graphique de l'intérieur : Laurent Carré

Réalisation : Médiamax

Achevé d'imprimer par Europrinting S.p.a. à Milan (Italie)
Dépôt légal : Mai 2012 - Editeur : 03 - 16/0089/9